DOCTOR

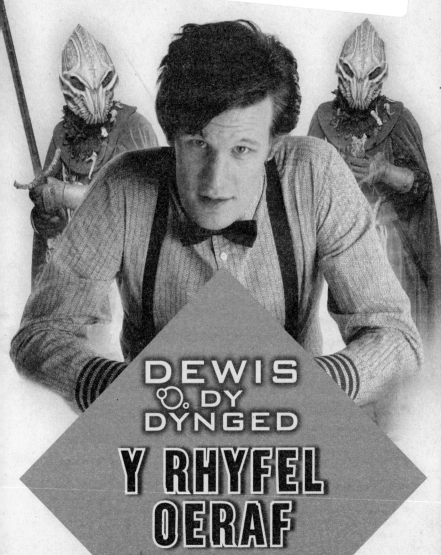

DEWIS DY DYNGED

Y RHYFEL OERAF

Colin Brake

Addasiad Elin Meek

Doctor Who
Dewis Dy Dynged:Y Rhyfel Oeraf
ISBN: 978-1-904357-51-3

Cyhoeddwyd gan Rily Publications Ltd, Blwch SB 20, Hengoed, CF82 7YR
Hawlfraint yr addasiad © Rily Publications Ltd 2010
Addasiad gan Elin Meek
Hawlfraint y testun a'r darluniau: © Children's Character Books 2010
Cyhoeddwyd yn wreiddol yn Saesneg fel *Doctor Who, Decide Your Destiny:The Coldest War* ©
Children's Character Books 2010
Ysgrifennwyd gan Colin Brake
Dymuna'r cyhoeddwyr gydnabod cymorth Cyngor Llyfrau Cymru.
DOCTOR WHO logo © BBC 2009. TARDIS image © BBC 1963. Licensed by BBC Worldwide Ltd.
DOCTOR WHO (word marks, logos and devices) and TARDIS are trademarks of the British
Broadcasting Corporation and are used under licence.
This translation of *Decide Your Destiny:The Coldest War* first published in 2010 by Children's
Character Books Ltd under the title *Decide Your Destiny:The Coldest War* is published under licence
from Children's Character Books Ltd, a joint venture company between Penguin Books and BBC
Worldwide Limited.
www.rily.co.uk

Sut i Ddefnyddio dy Lyfr Dewis dy Dynged

Dilyna'r cyfarwyddiadau isod cyn dechrau darllen y llyfr.

1. Dechreua ddarllen y stori ar dudalen 1 y llyfr hwn a dilyna'r cyfarwyddiadau ar ddiwedd pob adran.

2. Er nad yw mynd ar-lein yn hanfodol er mwyn mwynhau'r llyfr hwn, bydd gen ti gyfle ychwanegol ar ddiwedd ambell adran i ddilyn y stori ar-lein. Pan fydd y cyfle hwn yn digwydd, ac os oes gen ti gyfrifiadur wrth law, cer i www.doctorwhochildrensbooks.co.uk/decideyourdestiny (Yn anffodus, mae'r profiad ar-lein hwn ar gael yn Saesneg yn unig).

3. Clicia 'Play' i lansio'r sgrin er mwyn dewis llyfr a dewisa'r teitl rwyt ti'n ei ddarllen.

4. Ar ôl i ti ddewis dy lyfr, bydd y ddewislen dewis golygfa'n ymddangos ar y sgrin, gan roi dewis o chwe golygfa i ti, wedi'u labelu o A i F. Clicia ar y llythyren berthnasol a rho'r gair cod o'r llyfr ar waelod y sgrin.

5. Ar ôl gwylio'r olygfa neu ar ôl gwneud y gweithgaredd ar-lein, cer 'nôl i'r sgrin dewis golygfa a mynd ymlaen â'r stori.

Nawr tro'r dudalen a dechrau ar dy antur!

Rwyt ti'n syllu ar yr ystafell gron anferth, wedi dy synnu. Mae hi'n enfawr. Yn y canol, mae 'na ddarn wedi'i godi ac yng nghanol hwnnw mae consol rheoli a sawl ochr iddo.

'Gwell i ti gau'r geg 'na, neu fe fyddi di'n dala gwybed ynddi hi,' medd y dyn sy'n sefyll uwchben y consol. Wyneb ifanc sydd gan y dyn a thrwch o wallt sy'n cwympo fel llenni drosto. Eto, mae ei lygaid yn hen ac yn ddoeth rywsut. Mae e'n gwisgo siaced frethyn braidd yn henffasiwn a thei bo bach dros grys plaen a throwsus tywyll. Pan welaist ti fe gyntaf, roeddet ti'n meddwl ei fod e'n edrych fel Athro prifysgol ifanc. Y Doctor yw ei enw.

'Oes gwybed yn dod fan hyn 'te?' Mae llais newydd yn ymuno â'r sgwrs. Llais merch, gydag ychydig o acen Albanaidd. Mae hi'n ferch hardd ac mae coesau hir ganddi. Mae hi'n pwyso yn erbyn un o'r pileri tal sy'n cynnal y to. Mae ei llygaid yn graff a siriol wrth iddi dy wylio di a'r Doctor.

'Ddim fel arfer, Amy,' medd y Doctor, gan symud ambell switsh ar y panel rheoli agosaf cyn camu tuag atat ti ac estyn ei law. 'Ond dwyt ti byth yn gwybod. Ydy'r sgriwdreifar 'na gyda ti 'te?'

Rwyt ti'n sylweddoli ei fod e'n siarad â ti. Mae hi'n amlwg fod gan y Doctor feddwl sy'n neidio o gwmpas fel cwningen ddwl ac mae hi'n anodd dal i fyny ag e.

Os yw'r sgriwdreifar gen ti, cer i 45.

Os nad yw'r sgriwdreifar gen ti, cer i 81.

'Byth!' gwaedda'r Rhyfelwr Sycoracs. Mae e'n tynnu arf llaw allan, ond yn lle ei anelu at un ohonoch chi, mae e'n ei danio i'r nenfwd uwch eich pennau chi. Mae cawodydd o rwbel a llwch yn syrthio i lawr ac rydych chi'n taflu eich breichiau i fyny er mwyn amddiffyn eich hunain ac yn baglu am 'nôl. Ar ôl i'r llwch setlo, rwyt ti'n gweld bod y Rhyfelwr Sycoracs wedi diflannu.

Mae'r Doctor yn dechrau tynnu'r rwbel o'r ffordd. Mae mynydd bach ohono'n eich rhwystro, ond gyda ti ac Amy'n helpu, rydych chi'n llwyddo i glirio llwybr digon llydan i fynd drwodd.

'Mae'n rhaid i ni fynd ar ei ôl e,' medd y Doctor, yn eich annog. 'Mae beth bynnag achosodd i'r pŵer ddiflannu i mewn yn fan hyn yn rhywle, a dwi ddim yn credu y bydd ein ffrind, y Sycoracs, yn garedig iawn wrtho fe!'

Rydych chi'n symud ymlaen ar hyd y coridor yn gyflym ond yn ofalus. Cyn hir, rydych chi'n cyrraedd siambr storio anferthol sydd bron yn wag. Y prif beth yn y siambr yw strwythur grisialog rhyfedd sy'n disgleirio yng nghanol yr ystafell. Dyw e ddim yn edrych fel rhywbeth a ddylai fod yma. O gwmpas y grisial mae tri estron yn sefyll, sydd â ffurf ddynol iddyn nhw. Mae ganddyn nhw gribau esgyrnog ar eu pennau a chroen gwyrdd golau. Mae llaw pob un yn estyn allan a bron â chyffwrdd â'r grisial, ond maen nhw'n edrych fel petaen nhw wedi'u rhewi mewn amser, yn fyw ond yn methu symud.

Mae'r Rhyfelwr Sycoracs yno hefyd. Mae e, hefyd, yn estyn ei fraich allan i gyffwrdd â'r grisial.

Mae'r Doctor yn sgrechian i'w rybuddio.

Os yw'r Sycoracs yn anwybyddu'r Doctor, cer i 19.

Os yw'r Sycoracs yn stopio, cer i 43.

Mae'r Sycoracs yn ateb cwestiwn y Doctor gan siarad drwy'r ddyfais gyfathrebu.

'Mae angen i ni eu cael nhw i ddod o hyd i'r Dx87kk=$s2£,' medd ef wrth y Doctor.

Mae Amy'n taro'r sgrin yn ysgafn. 'Ydy hwn yn dal i weithio?' gofynna hi.

'Roedd y feddalwedd cyfieithu'n methu deall y darn olaf 'na,' medd y Doctor.

'Roedd e'n swnio fel Crifftloc,' meddet ti.

Mae'r Doctor yn nodio. 'Dwi'n gwybod ychydig o iaith Sycoracs – y cyfieithiad yw rhywbeth fel "anghenfil".'

Mae Amy'n snwffian. 'O, gwych. Mae'r estroniaid hyll eisiau i gaethweision dynol ddod o hyd i rywbeth sy'n anghenfil!'

'Gadewch i'r bobl fynd yn rhydd ac fe ddo' i o hyd i'r Crifftloc,' medd y Doctor wrth y Sycoracs, gan ynganu'r gair estron yn berffaith.

Dydy'r Sycoracs ddim yn edrych fel petai'n ei gredu.

'Arglwydd Amser o Galiffrei ydw i,' cyhoedda'r Doctor. 'Dwi'n rhoi hunllefau i angenfilod. Fe alla i ymdopi â'r Crifftloc 'ma.'

'Beth bynnag yw e,' rwyt ti'n sibrwd.

'Anghenfil ofnadwy yw'r Crifftloc,' medd y Sycoracs. 'Mae e'n bwyta ac yn storio ynni fel mae anifail gwyllt yn bwyta cig. Mae eisiau bwyd arno fe drwy'r amser ac mae e'n beryglus iawn.'

'Sut roedd e ar eich llong chi?' gofynna Amy.

Mae'r Sycorac yn codi ei ysgwyddau. 'Fe fyddai sawl un yn fodlon talu am ryfeddod galaethog fel y Crifftloc. Pan welon ni un yn cysgu, yn hofran ger seren goch, fe ddaethon ni ag e i mewn i'n hasteroid ni.'

'Ac yna… fe ddeffrodd e?' awgryma'r Doctor.

Os yw'r Sycorac yn dal ati i adrodd ei stori, cer i 84.

Os yw rhywbeth yn torri ar ei draws, cer i 41.

Rwyt ti'n teipio'r gair SNOWMAN ac mae'r arbedwr sgrin yn clirio ac yn dangos sgrin o eiconau rhaglenni a llwybrau byr. Mae'r Doctor yn cymryd drosodd wrth y bysellfwrdd rhithwir – sef tafluniad hologram ar y ddesg o fysellfwrdd QWERTY sy'n sensitif i gyffyrddiad – ac mae'n dod o hyd i log defnyddiwr personol yr un oedd yn arfer gweithio'r cyfrifiadur.

'O'r gorau, y 24ain o Chwefror 2024 yw hi,' cyhoedda'r Doctor, 'ac fe adawodd pawb y ganolfan ddau ddiwrnod yn ôl; protocol argyfwng pedwar deg chwech slaes tri.'

'A beth yn y byd mawr yw hynny?' gofynna Amy.

'Dim clem,' cyfaddefa'r Doctor, 'ond beth bynnag oedd e, roedd e'n ddigon difrifol i wneud i bawb adael. A!'

'Beth sy'n bod?'

Mae'r Doctor yn troi yn ei gadair i'ch wynebu chi i gyd. 'Mae rhywbeth yn Labordy 3. Mae e wedi cael ei gloi, a hynny ers tua hanner awr cyn i bawb adael.'

'Nid cyd-ddigwyddiad yw hynny, nage?' medd Amy.

Mae'r Doctor yn ysgwyd ei ben. 'Felly, nawr y cyfan sydd angen ei wneud yw dod o hyd i Labordy 3.'

'A mynd i mewn iddo fe,' ychwanega'r Sycoracs, gan fyseddu ei chwip, 'ond ddylai hynny ddim bod yn broblem i mi.'

Mae'r Doctor yn edrych yn bryderus ar y chwip. 'Ie, wel, gobeithio y gallwn ni ddod o hyd i ffordd well na gwthio ein ffordd i mewn.'

Mae e wedi cael map o'r ganolfan ar y sgrin. Mae'n rhoi ei fys ar y ddelwedd.

'Reit, dyma lle rydyn ni, felly mae Labordy 3 yn union ar hyd y coridor yma.'

Mae'n troi ac yn gweld bod y Sycoracs yn mynd drwy'r drws yn barod.

'Arhoswch,' gwaedda ef.

Os yw'r Rhyfelwr Sycoracs yn stopio, cer i 94.

Os yw'r Rhyfelwr Sycoracs yn ei anwybyddu, cer i 63.

Mae'r Doctor yn edrych yn fwy difrifol nag y gwelaist ti fe erioed o'r blaen.

'Peryglus?' medd eto. 'Os na wnawn ni hyn yn iawn, bydd cysawd yr haul i gyd yn diflannu.'

Cyn y gall e egluro rhagor, rwyt ti'n clywed sgrech.

Gan redeg 'nôl allan i'r labordy mwyaf, rwyt ti'n gweld Cathleen yn cael ei bygwth gan hanner dwsin o'r cleifion coma sydd fel sombïaid. Maen nhw wedi'i gwthio hi 'nôl i gornel.

'Dydyn nhw ddim yn edrych yn gryf iawn,' medd Amy, a golwg benderfynol ar ei hwyneb. 'Allwn ni ddim rhuthro atyn nhw?'

Mae'r Doctor yn ysgwyd ei ben. 'Fe allai rhywun gael ei anafu – ni, efallai.'

Er syndod i ti, mae e'n codi'i ddwylo ac yn gadael i'r cleifion symud ymlaen gan ychwanegu'r tri ohonoch chi at y rhes sydd ganddyn nhw. Pan fyddwch chi i gyd wedi cael eich dal, maen nhw'n aros yn stond.

'Ti'n gweld,' medd y Doctor wrthot ti, 'dim ond eisiau i ni aros yn llonydd maen nhw.'

'Felly beth sy'n digwydd nesa?' gofynni di.

'Aros i gael gweld,' medd y Doctor, ond rwyt ti'n gweld ei fod e'n rhoi ei law yn araf yn un o bocedi ei sïaced, yn barod am rywbeth.

Mae tua chwech o'r cleifion sombi yn eich dal chi yng nghornel yr ystafell. Mae'r chwech arall yn symud yn araf tuag at y blwch gwydr yng nghanol y llawr.

'Ro'n i'n meddwl hynny,' medd y Doctor ac rwyt ti'n gweld ei fod e wedi tynnu ei sgriwdreifar sonig allan.

Mae e'n ei anelu fe'n gyflym at y drws, yn tanio ffrwydrad o sŵn ac mae'r drws yn llithro ar gau gan wneud sŵn CLYNC braf.

Os yw'r sombïaid yn defnyddio'r bysellbad, cer i 44.

Os oes ffurf newydd yn ymddangos, cer i 78.

Yn sydyn, mae Amy'n gweld rhywbeth ar y gorwel.

'Edrych!' gwaedda. 'Beth yw hwnna?'

Rwyt ti'n edrych i'r man lle mae hi'n pwyntio ond, i ddechrau, dwyt ti ddim yn gallu gweld beth sydd wedi dal ei llygad. Mae'r eira gwyn ym mhobman yn ei gwneud hi'n anodd i ti weld unrhyw beth, ond wedyn rwyt ti'n sylweddoli beth mae hi wedi'i weld.

'Y pentwr 'na o eira?'

Mae Amy'n nodio'n gyffrous. 'Ond nid dim ond pentwr o eira yw e, nage? Edrych ar y siâp. Nid siâp naturiol yw hwnna, nage?'

Mae'r Doctor yn edrych ei hunan nawr, gan ddefnyddio binocwlars mae e wedi'u tynnu o'i boced.

'Nage,' cytuna, gan roi'r binocwlars i ti gael gweld.

Drwyddyn nhw, rwyt ti'n gweld nad dim ond eira yw e.

'Llong ofod arall yw hi!' meddet ti.

Mae peth eira drosti ond does dim dwywaith mai gwrthrych metelaidd mawr ar ongl braidd yn rhyfedd sydd yna. Mae'r llong yn edrych ychydig fel soser hedegog draddodiadol gyda rhai esgyll ychwanegol iddi.

'Hopran Marc Tri, gyda Gyriant Ymhollti Traws-System,' medd y Doctor wrthot ti. 'Mae tipyn o fynd yn honna.'

Rwyt ti ac Amy'n edrych arno'n syn.

'Paid â dechrau swnio fel *Top Gear*,' medd Amy, 'rwyt ti'n siarad fel Rory'n sôn am geir cyflym.'

'Ydych chi'n meddwl ei bod hi wedi colli ei phŵer i gyd hefyd?' rwyt ti'n gofyn.

'Awn ni i weld nawr,' awgryma'r Doctor ac i ffwrdd ag ef tuag ati.

Os wyt ti'n dod o hyd i'r fynedfa, cer i 51.

Os yw'r Doctor yn dod o hyd i'r fynedfa, cer i 15.

Mae Amy'n mynd gam yn nes at y cynhwysydd. 'Mae e'n edrych fel blymonj pinc,' medd hi wrthot ti, gan estyn ei llaw i gyffwrdd ag e. 'O!'

'Beth ddigwyddodd?' gofynna'r Doctor, gan redeg ati.

'Symudodd e,' medd Amy. Mae hi'n estyn ei llaw eto a'r tro hwn, mae'r hylif yn rhedeg dros ei llaw.

'Fe alla i ei chlywed hi,' medd Amy, wedi'i synnu gan y teimlad. 'Yn fy mhen, dwi'n gallu clywed ei llais hi. Mae hi mor drist ac mewn cymaint o boen.'

Mae'r Doctor yn edrych yn gynddeiriog. 'Gad i mi siarad â hi,' medd ef, gan dorchi ei lewys cyn rhoi ei ddwy fraich yn yr hylif.

Mae e'n taflu ei ben 'nôl ac yn cau ei lygaid wrth i'r hylif arllwys allan o'r cynhwysydd, dros ei freichiau a'i gorff i gyd.

'Doctor!' medd Amy yn llawn gofid.

'Wnest ti ddim brifo, naddo?' rwyt ti'n dweud er mwyn ei hatgoffa hi.

Eiliad yn ddiweddarach mae'r hylif yn llifo oddi ar y Doctor ac yn arllwys 'nôl i'r cynhwysydd. Mae'r Doctor yn ysgwyd ei ben ac yn rhedeg ei law drwy ei wallt.

'Waw!' medd ef.

'Beth ddigwyddodd?' gofynna Amy.

'Cyfathrebu,' ateba'r Doctor.

'Felly beth ddwedodd hi? Ai hi oedd yn gyfrifol am fynd â phŵer y TARDIS? A llong ofod y Sycoracs hefyd?' rwyt ti'n gofyn.

'Ie,' cyfaddefa'r Doctor, 'ie, hi oedd yn gyfrifol.'

'Felly mae'n rhaid iddi dalu,' medd llais cyfarwydd. Rwyt ti'n troi ac yn gweld bod y Rhyfelwr Sycoracs wedi dod atoch chi, a'i chwip yn ei law yn barod i'w defnyddio.

Os yw'r Doctor yn ei stopio mewn pryd, cer i 35.

Os nad yw'r Doctor yn ei gyrraedd mewn pryd, cer i 67.

Mae'r Doctor yn ceisio defnyddio'r sgriwdreifar sonig i ryddhau'r sgriwiau, ond yn ofer.

'Does dim pwynt,' medd ef wrthot ti, 'mae angen mwy o nerth nag sydd gan y sgriwdreifar sonig.'

Rwyt ti'n cofio bod y sgriwdreifar gafodd y Doctor ei fenthyg 'nôl gartref, gyda ti yn dy boced o hyd. Rwyt ti'n ei dynnu allan ac yn ei roi iddo fe. 'Fyddai hwn yn well?' rwyt ti'n gofyn iddo.

'Gwych!' Mae'r Doctor yn mynd â'r sgriwdreifar oddi arnat ti ac, ychydig eiliadau'n ddiweddarach, mae pob un o'r pedair sgriw wedi'u tynnu allan.

'Iawn, pwy sydd eisiau mynd gyntaf?' gofynna'r Doctor.

Rwyt ti ac Amy'n edrych i mewn i'r twll sydd wedi dod i'r golwg ac yn edrych ar eich gilydd. Mae yna dwnnel dur cul sy'n ddigon tal i chi gropian drwyddo, ond nad yw'n ddigon mawr i sefyll ynddo.

'Fe a' i'n gyntaf,' gwirfoddola Amy. Mae'r Doctor yn helpu Amy i ddringo i mewn i'r twll ac yna'n dy godi di i fyny hefyd. Yn olaf, mae e'n tynnu ei hunan i mewn i'r twll hefyd.

Rwyt ti'n cropian ar dy bedwar, gan geisio dal i fyny ag Amy sydd wedi mynd ychydig o ffordd o'th flaen di'n barod.

'Paid â mynd yn rhy gyflym,' rwyt ti'n galw arni.

'Dwi eisiau cyrraedd y pen draw a mynd mas, dyna i gyd,' mae

Amy'n galw 'nôl.

Mae hi'n anodd ei beio hi. Mae hi'n dywyll ac yn gyfyng iawn i mewn yn fan hyn ac rwyt ti'n gallu teimlo dy galon yn curo wrth i ti gropian ymlaen mor gyflym ag y gelli di.

Yn sydyn, mae'r twnnel yn ymrannu'n ddau. Rwyt ti'n edrych y ddwy ffordd, ond does dim sôn am Amy.

Os wyt ti'n mynd i'r chwith, cer i 52.

Os wyt ti'n mynd i'r dde, cer i 54.

'Ydw, plis,' rwyt ti'n dweud wrth y Doctor yn frwdfrydig. 'Ond i ble? Os ydych chi wir yn gallu mynd i unrhyw le mewn gofod ac amser... mae'r dewis yn ddiddiwedd.'

'Beth am adael i'r TARDIS benderfynu?' awgryma'r Doctor.

Heb rybudd, yn gyflym, mae e'n rhedeg draw at y consol siâp madarchen ac yn torchi llewys ei siaced dros ei grys fel pianydd sydd ar fin perfformio mewn cyngerdd. Mae e'n oedi am eiliad ac yna, WWWWSH, rwyt ti'n methu gweld ei ddwylo'n iawn wrth iddo symud switshys a throi botymau dros y paneli rheoli i gyd. O'r diwedd mae e'n stopio, yn rhoi gwên gyflym i ti ac yna'n tynnu lifer mawr.

Yn syth, mae sŵn injans hynafol yn tanio – maen nhw'n cwyno ac yn sgrechian fel sŵn hunllef. Prin rwyt ti'n teimlo dy fod ti'n symud.

'Ddylen ni ddim eistedd a gwisgo ein gwregysau?' rwyt ti'n gofyn yn nerfus.

Mae'r Doctor yn ysgwyd ei ben. 'Na ddylen, does dim angen y rheiny o gwbl.'

Mae Amy'n edrych arnat ti. 'Efallai y byddai'n syniad da i ti sefyll wrth ymyl rhywbeth y galli di gydio ynddo fe,' mae hi'n awgrymu, 'dim ond rhag ofn.'

Heb unrhyw rybudd, mae'r llawr fel petai'n gwegian dan dy draed ac rwyt ti'n cael dy daflu i'r llawr. Newidia synau'r injans, wrth iddynt arafu'n boenus. Mae'r TARDIS yn siglo nawr fel y reid waethaf erioed mewn ffair. Rheda'r Doctor o gwmpas y consol a symud deialau, ond does dim yn tycio.

Yn sydyn, mae cloch soniarus ddofn yn dechrau canu fel larwm.

'Beth sy'n digwydd?' rwyt ti'n gofyn.

Os yw Amy'n ateb, cer i 59.

Os yw'r Doctor yn ateb, cer i 66.

'Fi biau'r ddyfais yn yr ystafell 'na,' mae'r Sycoracs yn dweud wrthoch chi. 'Fe ddaeth hen leidr bach, sef Iarcop milain, a'i ddwyn e oddi arna i.'

Nodiodd y Doctor. 'Dwi wedi cwrdd â Iarcopiaid. Rydych chi'n iawn, rhai cyfrwys ydyn nhw.'

'Fe ddygodd y lleidr y ddyfais a cheisio'i chuddio hi yma, yn y blaned fach ddiflas 'ma.' Tawela ceg ddynol yr estron am eiliad ac yna mae'n siarad eto, yn arafach, 'Mae'r Sycoracs… wedi cael eu gwahardd rhag dod yma.'

Gwena'r Doctor a wincio arnat ti. 'Tybed pwy sy'n gyfrifol am hynny?' sibryda.

'Felly fe delegludais i ar fy mhen fy hun er mwyn cael fy ngwobr,' mae'r Sycoracs yn egluro. 'Gadewch i mi ei chael hi ac fe awn ni o'r cysawd yma am byth.'

Mae'r Doctor yn nodio ac yn plygu'n araf i godi ei sgriwdreifar sonig.

'O'r gorau, ond nid chi sy biau'r ddyfais 'na i mewn fan'na, na'r Iarcop chwaith. Microfydysawd yw e, y math o beth mae YstofWehyddion Alffa Lleugylch Glas yn ei greu.'

Mae'r Sycoracs a'i lais dynol yn aros yn dawel.

'Nawr mae'r YstofWehyddion yn gwybod beth maen nhw'n 'i wneud. Dydych chi ddim.'

'Dwi'n adnabod batri ynni pwerus pan wela i un,' mynna'r estron.

'Ydych chi'n meddwl mai dim ond cynhwysydd ynni yw hwnna?' sgrechia'r Doctor. 'Bydysawd bach yw e! Pan ddigwyddodd fy mheiriant gofod-amser fynd heibio o fewn cyrraedd iddo fe, fe sugnodd e bob atom o bŵer oddi wrtho fe. Felly mae e'n ficrofydysawd ansefydlog iawn. Un cam gwag ac fe gawn ni i gyd ein ffrwydro i'r entrychion.'

Rwyt ti'n gallu gweld bod y Doctor yn poeni'n fawr am hyn.

'Dim ond esgus rydych chi,' medd y Sycoracs.

Cer i 14.

'Dwedwch rhagor wrtha i,' gofynna'r Doctor yn dawel.

Mae'r Athro'n codi ar ei draed. 'Dim ond os dwedwch chi wrtha i sut sylweddoloch chi beth rydyn ni'n 'i wneud yma.'

'Dwi wedi gweld rhywbeth tebyg o'r blaen,' medd y Doctor wrth yr Athro.

'Ond dydy hynny ddim yn bosibl. Fi ddyfeisiodd y dechnoleg hon,' mynna'r Athro Howkins, gan sefyll ar ei draed.

'Ar y blaned hon, ie,' cytuna'r Doctor, 'ond mae hi'n gyfarwydd mewn mannau eraill. Y cwestiwn yw, sut daethoch chi ar ei thraws hi? Dwi'n credu 'mod i'n cofio mai yn yr ail ganrif ar hugain yr ymddangosodd y dechnoleg hon ar y Ddaear.'

'Dyna ddigon o siarad,' medd y Sycoracs, gan dorri ar eu traws. 'Mae'n rhaid i ni ddiffodd y peiriannau 'ma nawr.'

'Ond dyna'r pwynt,' mynna'r Athro. 'Alla i ddim.'

Mae'n tynnu anadl ddofn ac yn dechrau egluro.

'Roedd y prosiect yma'n llawn peryglon. Dyna pam daethon ni yma, i'r Antarctig, i wneud yr arbrofion – yn ddigon pell o'r mannau lle mae pobl yn byw. Mae'r echdynnwr i fod i dynnu ynni potensial o ficroelfennau yn yr awyr a'u troi nhw'n ynni rydyn ni'n gallu ei storio.'

Mae'r Doctor yn nodio. 'Ond mae rhywbeth wedi mynd o'i le, on'd oes e?'

'Gorlwythodd y systemau. Fe losgodd rhai allweddol, gan gynnwys y systemau diogelwch a'r systemau gwrth-wneud. Cafodd y rhan fwyaf o'r tîm eu lladd yn syth, fe gawson nhw eu hanweddu gan folltau ynni ar hap. A nawr, alla i mo'i ddiffodd e. Mae e'n sugno mwy a mwy o ynni i mewn, fel cwpan heb waelod.'

'Neu fel twll du bychan,' medd y Doctor, a golwg ddifrifol ar ei wyneb, 'achos dyna rydych chi wedi'i wneud.'

Os yw'r Doctor yn dal ati i siarad, cer i 71.

Os yw'r Rhyfelwr Sycoracs yn gwneud rhywbeth, cer i 87.

Rwyt ti'n arwain y ffordd ac mae'r lifft yn dy adael di yng nghyntedd yr iglw, lle mae dy ddillad arctig arbennig yn disgwyl amdanat ti. Cyn hir, rwyt ti wedi gwisgo'r holl ddillad ysgafn sydd hefyd yn gynnes, ac rwyt ti'n barod i fynd allan i'r eira unwaith eto. Cyn gynted ag yr wyt ti'n mynd allan i'r gwastadeddau, rwyt ti'n gweld crater yn mygu a'r eira ar ei ben wedi toddi'n rhannol. Dyna lle roedd llong y Sycoracs wedi syrthio.

Mae'r Doctor yn edrych i fyny ac yn pwyntio at seren arbennig o lachar sy'n symud ar draws yr awyr.

'Dyna nhw'n mynd, a gwynt teg ar eu hôl nhw,' medd ef yn llawn teimlad. 'Nid nhw yw fy hoff estroniaid i,' medd ef wrthot ti, 'fe gostiodd hi law i mi y tro cyntaf y cwrddais i â nhw. Fe ges i lawer o drafferth gyda'r llaw 'na...'

Mae Amy'n edrych o gwmpas ac rwyt ti'n gallu gweld ei bod hi'n gwgu y tu ôl i'w sbectol dywyll sy'n adlewyrchu golau.

'Yyy Doctor... ble mae'r TARDIS?'

Rwyt ti'n edrych o gwmpas mewn cylch. Cyn belled ag yr wyt ti'n gallu cofio, roedd y TARDIS fwy neu lai'n syth gyferbyn â'r drws i'r iglw, tua dau gan metr oddi wrtho fe. Ond, pan oeddech chi i lawr o dan ddaear, mae hi wedi bwrw eira eto a nawr does dim golwg o'r Blwch Heddlu glas llachar o gwbl.

Mae'r Doctor yn dweud wrthoch chi am beidio â phoeni. Mae e'n tynnu un o'i fenig, yn codi ei law ac yn clicio'i fysedd yn ddramatig. Mae'r TARDIS yn dangos lle mae e'n sydyn drwy fflachio'i oleuadau. Mae'r eira oedd drosto'n cwympo oddi ar ei ochrau ac mae un o'r drysau'n agor yn awtomatig.

'Mae hi'n amser mynd adref,' medd y Doctor.

Y DIWEDD

Mae'r Doctor yn dy arwain di ac Amy allan i'r ganolfan. Alli di ddim peidio â theimlo braidd yn siomedig. Dywedodd y Doctor fod ei beiriant yn gallu mynd â ti i unrhyw le mewn gofod ac amser, ond yn lle golygfa o blanedau estron neu banorama cynhanesyddol, dim ond hen goridor llwyd plaen rwyt ti'n ei weld, gyda goleuadau i fyny yn y nenfwd.

Mae'r Doctor yn cloi'r TARDIS ac yn tynnu anadl ddofn. 'Aer wedi'i ailgylchu yw hwn, yn bendant,' medd ef wrthoch chi.

'Tybed ble rydyn ni?' medd Amy.

Rydych chi'n cerdded yn eich blaenau, gan obeithio gweld rhywbeth mwy cyffrous. Rwyt ti'n gweld drws gyda sticer croes goch arno fe. Wrth syllu drwy'r panel gwydr sydd yn y drws, rwyt ti'n gweld nifer o welyau sy'n edrych fel rhai ysbyty.

'Ystafell y cleifion,' medd y Doctor, gan syllu dros dy ysgwydd. 'Mae'n rhaid bod hi'n amser i'r Doctor ddod i weld pawb.'

Mae'r Doctor yn agor y drws ac yn camu i mewn, yn union fel petai e'n cael bod yno. Rwyt ti ac Amy'n ei ddilyn e.

Yn yr ystafell, rwyt ti'n gallu gweld ei bod hi fel ward ysbyty fach gyda dwsin o welyau'n rhes yn erbyn y waliau. Mae claf ym mhob un o'r gwelyau ond does dim un ohonyn nhw'n edrych yn effro.

'Ydy hyn yn syniad da?' gofynna Amy, 'efallai eu bod nhw'n heintus.'

Mae'r Doctor yn ysgwyd ei ben. 'Fe fydden nhw wedi'u cadw ar wahân petai hynny'n wir. Dwi'n credu ein bod ni'n ddiogel.'

Os yw'r Doctor yn dechrau archwilio un o'r cleifion, cer i 29.

Os yw'r drws yn agor ac mae rhywun yn dod i mewn, cer i 57.

'Dwi ddim yn esgus,' mynna'r Doctor. 'Edrych, mae'r microfydysawd 'na'n rhedeg ar ynni anhygoel o fawr. Ond pan aeth e â'r ynni o fy llong ofod-amser i, fe aeth e'n ansefydlog. Gwranda arna i.'

Ond dydy'r Sycoracs ddim yn barod i wrando. Mae e'n anwybyddu'r Doctor ac yn cerdded draw at ddrws yr ystafell wydr. Mae e'n pwnio'r cod mynediad i mewn ac yn camu i'r ystafell. Rwyt ti, y Doctor ac Amy'n osgoi'r sombïaid llonydd ac yn brysio ar ei ôl.

Yn yr ystafell, mae'r Sycoracs yn estyn am y swigen sebon sy'n edrych yn fregus yng nghanol yr offer. Rwyt ti'n gallu gweld dirgryniadau ar arwyneb y swigen ac mae fflachiadau o olau lliwgar y tu mewn i'w chrombil lliw llaeth.

'Na, peidiwch!' sgrechia'r Doctor, ond mae hi'n ymddangos fel petai'r Sycoracs wedi cael llond bol ar wrando. Mae ei ddwylo'n ymestyn i ganol yr offer.

Yn sydyn, mae fflach o fellt oren yn hedfan ar draws yr ystafell o rywle'r tu ôl i chi, ac mae'r Sycoracs yn cael ei daro rhwng ei ysgwyddau. Mae ei gorff yn plygu fel bwa, wedi'i oleuo o'r tu mewn, ac yna mae e'n troi'n llwch.

Mae'r Doctor yn troi ar ei sawdl. 'Doedd dim angen gwneud hynny!' rhua.

Rwyt ti'n troi hefyd ac yn cael sioc o weld pam ei fod e'n wyllt gacwn.

Mae Cathleen, y nyrs dan hyfforddiant, yn sefyll yn nrws yr ystafell wydr. Ond dydy hi ddim yn edrych yn gyfeillgar nac yn barod i helpu fel yr oedd hi y tro cyntaf i chi gwrdd â hi. Mae hi'n edrych yn galed a phenderfynol ac mae hi'n cydio'n dynn mewn ffrwydrydd llaw modern yr olwg.

'Camwch yn ôl,' gorchmynna hi'n swta.

Mae'r Doctor yn ysgwyd ei ben. 'Alla i ddim gwneud hynny,' medd ef wrthi.

Mae Cathleen yn dechrau dirgrynu ac mae ei hwyneb yn mynd yn aneglur. Rwyt ti'n synnu o'i gweld hi'n dechrau newid yn rhywbeth arall. Cyn pen dim, mae'r pen dynol wedi mynd yn llwyr, ac yn ei le mae ffurf ddynol hyll gyda phen fel rhinoseros, wedi'i gwisgo mewn lledr du.

'Efallai y bydd y ffurf hon yn eich perswadio chi?' medd y ffurf, gan ddefnyddio llais Cathleen o hyd, felly dydy hi ddim yn codi cymaint o ofn arnoch chi hyd yn oed ar ôl iddi newid cymaint.

'Jwdŵn?' medd y Doctor. 'Dyw Jwdŵn ddim yn codi ofn arna i.'

Mae'r larcop sy'n gallu newid ei siâp yn disgleirio eto a'r tro hwn, mae e'n troi'n ffurf ddynol sy'n debyg i ymlusgiad gyda thalcen crwn.

'Draconiad, da iawn,' medd y Doctor. 'Ga' i wneud cais i chi ddynwared estron arall?'

Mae'r newidiwr siâp yn gwthio heibio iddo gan ruo'n gynddeiriog ac estyn am y swigen sebon. Cyn gynted ag y mae ei fysedd yn cyffwrdd â hi, daw fflach o olau gwyn, gwyn.

'I lawr â chi!' sgrechia'r Doctor.

Rwyt ti'n taro'r llawr ac yn rhoi dy ddwylo dros dy ben. Rwyt ti'n gallu teimlo'r gwres uwch dy ben wrth i folltau ynni lenwi'r awyr. Daw sŵn fel yr arddangosfa dân gwyllt fwyaf swnllyd rwyt ti wedi'i gweld erioed.

Os oes sŵn twrw mawr, cer i 75.

Os yw popeth yn mynd yn dywyll, cer i 21.

Dydy hi ddim yn cymryd cymaint o amser ag yr oeddet ti wedi'i feddwl i gyrraedd y llong, sydd mor dal â thŷ a rhyw bedair gwaith ei hyd.

Mae'r Doctor yn mynd yn gyffrous wrth iddo ddod yn nes. 'Dyna ddiddorol,' medd ef wrtho'i hunan o dan ei wynt, 'nid llong Marc 3 yw hi ond llong Marc 4 gyda rhai darnau "retro"…'

'Doctor…' medd Amy a rhybudd yn ei llais.

'Sori,' medd ef wrthi. Mae e'n dechrau symud o gwmpas y llong ac yn dweud wrthot ti 'dylai'r prif ddrws aerglos fod ar hyd fan hyn yn rhywle…' ac yna mae e'n diflannu o'r golwg. Rwyt ti ac Amy'n ei ddilyn rownd cornel ac yn ei weld yn agor drysau allanol siambr aerglos â'r sgriwdreifar sonig. Mae'r drws metelaidd yn rholio i fyny ac mae'r tri ohonoch chi'n gallu mynd i mewn.

Mae'r Doctor yn bwrw botwm ac mae'r drws yn llithro ar gau eto. Rwyt ti'n tynnu'r cwfl oddi ar dy ben.

'Waw, mae hi'n gynnes fan hyn.'

Mae'r Doctor yn pwyso draw ac yn troi botwm ar dy siwt. 'Fe ddylai hynna fod yn well,' medd ef wrthot ti, 'mae'r siwtiau 'ma'n gallu dy gadw di'n oer yn ogystal ag yn gynnes.'

Ar ôl gwneud yr un peth i Amy, mae'r Doctor yn agor drws mewnol y siambr aerglos. Y tu draw iddo fe mae cyntedd bach a dau goridor sy'n diflannu i gyfeiriadau gwahanol.

'Dyna ryfedd,' medd Amy.

'Beth?' meddet ti.

'Wel, mae'r pŵer yn dal i weithio, on'd yw e?' Rwyt ti'n edrych o gwmpas ac yn sylweddoli ei bod hi'n gywir. Mae'r goleuadau a'r gwres yn gweithio. Yn wahanol i'r TARDIS, mae hi'n ymddangos fel pebai pŵer y llong ofod hon yn iawn.

Os wyt ti'n mynd i'r chwith, cer i 37.

Os wyt ti'n mynd i'r dde, cer i 77.

Mae'r creadur, sy'n dal i edrych fel Sycorac, yn nodio'i ben.

'Wnewch chi sicrhau y ca' i fynd yn rhydd?' gofynna ef.

'Dwi'n addo,' medd y Doctor.

'O'r gorau.' Mae'r Sycorac ffug yn tynnu anadl ddofn ac yn agor ei freichiau ar led ac yna'n dechrau fflachio golau glas. Y tu ôl iddo, mae injans y Sycorac yn dechrau tanio wrth i bŵer lifo 'nôl i'r siambrau ynni.

Mae'r broses yn cymryd rhai munudau ond, o'r diwedd, mae'r golau'n pylu ac yn lle'r Sycorac ffug, mae 'na ffurf ddynol fach lwyd sydd â llygaid mawr glas.

Cyn i unrhyw un allu dweud dim, mae Arweinydd y Sycorac yn gwthio heibio i'r Doctor ac yn ymosod â'r chwip ynni. Am eiliad ofnadwy mae'r ynni'n clecian ar hyd y chwip ac yn dawnsio dros holl gorff y newidiwr siâp llwyd, ond yna mae'r ynni fel petai'n troi am 'nôl, ar hyd y chwip, cyn llethu'r Sycorac. Mae'r ddau estron wedi'u cysylltu mewn dawns farwolaeth herciog ac mae'r ynni marwol yn llifo 'nôl a blaen.

O'r diwedd, mae sŵn clec fawr ac mae'r ddau greadur yn syrthio i'r llawr, gan fygu fel coed tân yn syrthio o goelcerth.

Mae Amy'n brysio draw at y Sycorac ac yn edrych i weld a yw'n dal yn fyw. 'Allwn ni ddim gwneud dim byd,' medd hi, 'mae e wedi marw.'

Yn y cyfamser, mae'r Doctor wedi brysio draw at y newidiwr siâp. Mae e'n ysgwyd ei ben yn drist. 'A hwn hefyd,' medd ef.

Os wyt ti'n mynd at y Doctor, cer i 65.

Os yw Amy'n mynd at y Doctor, cer i 76.

Mae'r llais yn gras ac yn ddwfn, ond mae ei eiriau'n eglur. 'Beth rydych chi wedi'i wneud i fy llong i?'

Rwyt ti'n troi a gweld bod tua dwsin o estroniaid ffyrnig yr olwg o'ch cwmpas chi. Ffurfiau dynol ydyn nhw ond mae ganddyn nhw ran o ysgerbwd allanol, felly mae ganddyn nhw asgwrn penglog allanol dros gyhyrau amlwg. Mae eu llygaid yn llosgi'n gas ac yn goch. Maen nhw'n gwisgo clogynnau hir, coch fel gwaed, wedi'u haddurno gan bethau sy'n edrych fel gwallt, croen sych ac esgyrn.

'Sycoracs,' medd y Doctor o dan ei wynt, wrth iddo eu hadnabod. 'Dydych chi ddim i fod yma. Mae'r blaned hon wedi'i gwarchod.'

Mae arweinydd y Sycoracs yn camu ymlaen. 'Ydych chi'n meddwl ein bod ni eisiau bod yma? Fe ymosododd rhywbeth arnon ni. Dwyn ein pŵer ni. Glanion ni ar y graig ddiflas 'ma.'

Mae Amy'n camu ymlaen yn ddewr. 'A ninnau hefyd,' medd hi wrth yr estron. 'Rydyn ni yn yr un cwch.'

'Sut maen nhw'n siarad Cymraeg?' rwyt ti'n sibrwd.

'Dydyn nhw ddim,' mae'r Doctor yn sibrwd 'nôl. 'Mae'r TARDIS yn cyfieithu i ti.'

Mae Arweinydd y Sycoracs yn meddwl am eiriau Amy. 'Fe gafodd y pŵer ei dynnu o'ch llong chi hefyd?' gofynna.

Mae'r Doctor yn nodio. 'Bron yn llwyr. Ac mae'n rhaid mai rhywbeth allan fan hyn sy'n gyfrifol.'

Mae Arweinydd y Sycoracs yn dod i benderfyniad ac yn amneidio ar ei ddynion.

'Arhoswch, i ble rydych chi'n mynd?' gofynna'r Doctor.

'Mae anheddiad o bobl o dan yr iâ,' medd yr estron wrtho. 'Rhywbeth o'r enw Canolfan Ymchwil yr Antarctig. Rhaid mai dyna lle mae'r pŵer i gyd yn mynd.'

Mae'r Sycoracs yn troi.

'Na, arhoswch.'

Os yw'r Sycoracs yn troi'n ôl, cer i 89.

Os yw'r Sycoracs yn gadael, cer i 96

Rwyt ti wedi cael dy ddal yng nghornel yr ystafell. Mae'r cleifion coma, a oedd mor ddifywyd â dymis siop eiliad 'nôl, bellach yn symud yn araf tuag atoch chi. Mae eu breichiau wedi'u hestyn allan a'u llygaid ar agor ond dydyn nhw ddim yn gweld dim byd.

Mae'r Doctor yn troi ac yn archwilio'r wal yn ofalus, a'i sgriwdreifar sonig yn ei ddwylo.

'Doctor! Fe fyddai nawr yn amser da i wneud rhywbeth clyfar,' anoga Amy, heb symud ei llygaid oddi ar y cleifion sy'n dod yn nes.

'Dwi'n gwneud fy ngorau,' medd y Doctor yn swta. Rwyt ti'n gallu clywed y sgriwdreifar sonig yn chwyrlïo ac yna mae 'na dwrw mawr. Pan wyt ti'n troi, rwyt ti'n gweld bod y Doctor wedi llwyddo i dynnu un o'r paneli sy'n rhan o wal y ward. 'Dwi'n dwlu ar adeiladau parod fel hyn,' medd ef o dan ei wynt, gan dy helpu di, Cathleen ac Amy drwy'r twll yn y wal cyn mynd drwodd ei hunan.

'Beth sy'n digwydd?' gofynna Cathleen.

'Dwi'n tybio eu bod nhw'n cael eu rheoli o bell drwy ddefnyddio cemeg y gwaed,' medd y Doctor wrthi hi. 'Dwi wedi gweld rhywbeth tebyg o'r blaen.'

Mae'r pedwar ohonoch chi'n rhedeg i lawr y coridor nawr.

'Ar beth mae eich pobl chi'n gweithio yma?' gofynna'r Doctor.

'Mae'r wybodaeth 'na'n gyfrinachol,' medd Cathleen wrtho. 'Does dim hawl gyda fi i ddweud wrthoch chi.'

'Wel, pwy sy'n gallu 'te?' mynna Amy.

'Mae'r rhan fwyaf o'r criw 'nôl fan'na.' Mae hi'n codi llaw i gyfeiriad y cleifion sombïaidd. 'Yasin yw'r unig aelod arall o'r criw sydd ar ôl.'

'A ble gallwn ni ddod o hyd iddo fe?' gofynna'r Doctor.

'Gyda'r darganfyddiad, wrth gwrs.' Mae Cathleen yn egluro bod y ganolfan wedi'i chreu er mwyn i dîm o arbenigwyr archwilio rhywbeth a gafodd ei ddarganfod wedi'i gladdu yn iâ'r Antarctig. Mae hi'n gwrthod rhoi rhagor o fanylion ond mae hi'n mynd â chi i lefel is, lle mae hi'n dweud y bydd Yasin yn gallu helpu.

Rydych chi'n teithio mewn siafft lifft, sy'n mynd â chi i siambr anferth o dan ddaear sydd fel petai wedi cael ei thorri i mewn i graig.

'Roedd yn rhaid i ni ddrilio i lawr i'r graig hon,' esbonia Cathleen, 'ond ar ôl i ni gyrraedd, fe welon ni ei bod hi'n llawn ogofâu a cheudyllau. Ond dydy'r daearegwyr ddim yn gallu egluro sut daeth y graig yma.'

'Felly, dyma hi?' rwyt ti'n gofyn. 'Ai'r graig 'ma yw'r "darganfyddiad" cyfrinachol?'

'O nage,' medd Cathleen, gan wenu a'ch arwain chi ar hyd twnnel sydd wedi'i dorri i'r graig.

Mae hi'n mynd â chi i siambr lai, sy'n llawn peiriannau. Mae 'na falfiau a phibellau a gwifrau; mae'n edrych fel rhywbeth y byddet ti'n ei weld mewn ffatri neu ar ystad ddiwydiannol. Yn sicr, dyna'r peth olaf y byddet ti'n disgwyl ei weld mewn ogof. Ond dydy'r Doctor ddim fel petai wedi'i synnu o gwbl.

'Cathleen, pwy yn y byd yw'r bobl 'ma?' Mae Indiad ifanc gofidus yr olwg sy'n gwisgo oferôls plaen yn ymddangos o'r tu ôl i'r peiriannau.

Mae Cathleen yn eich cyflwyno chi i Yasin. Fe yw dirprwy arweinydd y prosiect.

'Gadewch i mi ddyfalu,' medd y Doctor, 'fe gawsoch chi eich penodi'n hwyr i'r prosiect a chymeron nhw ddim sampl gwaed oddi wrthoch chi?'

'Sut gwyddoch chi hynny?' mynna Yasin.

Os yw'r Doctor yn ateb, cer i 23.

Os yw Amy'n ateb, cer i 47.

Mae'r Rhyfelwr Sycorac yn anwybyddu'r Doctor ac yn cyffwrdd â'r grisial. Mae e'n sgrechian yn syth a chydia parlys cyflym yn ei gorff.

'Na!' gwaedda, gan geisio defnyddio'i law rydd i dynnu wrth yr un sydd wedi rhewi. Ond mae'r parlys yn ymledu i lawr ei gorff i gyd. Ymhen eiliadau, mae e wedi rhewi'n gorn. Mae e'n methu symud na siarad.

Mae'r Doctor yn ysgwyd ei ben yn drist. 'Fe geisiais i ei rybuddio fe,' medd ef wrthot ti.

'Beth ddigwyddodd iddo fe?' rwyt ti'n gofyn.

Mae'r Doctor yn pwyntio at y tri estron â chroen gwyrdd. 'Yr un peth â'r hyn wnaeth ddigwydd i'r rhain,' medd ef wrthot ti, 'maen nhw wedi cael eu rhewi mewn amser.'

'Sut?' gofynna Amy. 'Ai rhyw fath o beiriant amser yw hwnna?'

Mae'r Doctor yn cerdded o gwmpas y grisial, gan wneud yn siŵr nad yw'n ei gyffwrdd. 'Nage, a dweud y gwir. Nid dyna beth yw ei ddiben e, ta beth.'

Mae'r Doctor yn camu'n nes at un o'r estroniaid â chroen gwyrdd. 'Masnachwyr Atraiaidd yw'r rhain. Fel y Sycorac, math o hil barasit ydyn nhw, sy'n defnyddio'r pethau mae pobl eraill wedi'u gwneud yn lle eu gwneud nhw eu hunain. Ond o leiaf mae'r Atraiaid yn talu eu ffordd. Ond maen nhw wedi cael ychydig o anlwc fan hyn. Dwi ddim yn credu eu bod nhw'n gwybod beth oedden nhw'n ei brynu.'

'Y peth crisialog 'ma?' rwyt ti'n gofyn.

Mae'r Doctor yn nodio. 'Trawsnewidydd Ynni Grisial H'R'R'lurrniki – technoleg hanner organig o Glwstwr H'R'R'lurrniki. System sy'n storio ynni hunangynhaliol yw hi, ond dydy hi ddim yn gallu amsugno ynni amser fel yr hyn oedd yn digwydd ar fy llong i. Mae'r grisial yn gollwng ynni artron – dyna beth sydd wedi rhewi'r rhain mewn amser.'

'Felly, ydych chi'n gallu ei ddiffodd e? Troi'r llif ynni am 'nôl?' gofynna Amy.

'Alla i ddim gweld unrhyw fotymau rheoli i wneud hynny,' meddet ti.

'Does dim botymau rheoli,' medd y Doctor. 'Systemau organig yw'r cyfan. Yr unig ffordd i'w reoli fe yw drwy ddefnyddio telepathi.'

'Allwch chi wneud hynny?' medd Amy a golwg ofnus ar ei hwyneb.

'Ddim gyda phobl, ddim heb ymdrech fawr iawn, ond gyda'r grisial 'ma... gobeithio.'

Mae e'n estyn llaw tuag at y grisial.

'Ond chewch chi ddim mo'ch rhewi fel y rhain i gyd?' sgrechia Amy.

'Arglwydd Amser ydw i,' mae e'n ei hatgoffa hi, 'gobeithio 'mod i'n ddigon sensitif i amser i'w oresgyn e!'

Ar hynny mae e'n cyffwrdd â'r grisial. Yn syth, mae realiti fel petai'n cau amdano'i hunan ac mae popeth yn troi'n ddu.

Pan wyt ti'n agor dy lygaid rwyt ti'n gorwedd ar yr eira y tu allan i'r TARDIS. Mae Amy'n gorwedd wrth dy ochr di.

'Ydych chi'ch dau'n iawn?' gofynna'r Doctor.

Rwyt ti'n gadael iddo fe dy helpu i godi ar dy draed.

'Beth ddigwyddodd?' rwyt ti'n gofyn iddo fe.

Mae'r Doctor yn gwenu. 'Fe weithiodd e. Fe anfonais i'r llif ynni am 'nôl a gwasgu'r botwm ailosod.'

'Beth ddigwyddodd i'r estroniaid?' gofynna Amy, gan godi ar ei thraed.

'Maen nhw wedi mynd. Mae'r ganolfan yma'n ddiogel.'

Mae Amy'n gwenu. 'Awn ni i mewn i ddweud wrthyn nhw?' gofynna.

Mae'r Doctor yn ysgwyd ei ben. 'Gwell peidio. Does dim angen iddyn nhw wybod eu bod nhw wedi bod mewn perygl. Dewch, 'nôl i'r TARDIS. Mae hi'n amser i ti fynd adref,' medd ef gan edrych arnat.

Y DIWEDD

Rwyt ti'n teipio'r rhifau 7890 i'r bysellbad ac er mawr syndod i ti, mae'r drws yn agor led y pen.

'Fe weithiodd e!'

Rwyt ti'n camu dros y trothwy ac rwyt ti'n teimlo dy hunan yn cael dy dynnu am 'nôl yn syth. Mae chwip ynni'n fflachio ar draws y man lle roeddet ti'n sefyll ac rwyt ti'n sylweddoli, mewn arswyd, fod Rhyfelwr Sycoracs yn ymosod arnat ti. Mae'r Doctor ac Amy'n dy dynnu di i ddiogelwch, ond yn hytrach na cheisio eto, mae'r Sycoracs yn troi ac yn rhedeg i ffwrdd, a'i glogyn coch yn hedfan allan y tu ôl iddo fe.

'Dewch,' medd y Doctor, 'ar ei ôl e! Mae'n rhaid bod y Sycoracs wedi dod i wybod beth sydd wrth wraidd hyn.'

Mae'r Doctor yn rhuthro ar ôl y Sycoracs ac rwyt ti ac Amy, wedi drysu braidd, yn rhedeg ar ei ôl.

Mae'r coridor y tu hwnt i'r drws cadarn yn arwain at ddrws arall ond dim ond dau ddarn enfawr sy'n dal i fygu yw'r drws hwnnw ar ôl cael ei rwygo ar led.

Mae'r Doctor yn neidio'n chwim dros y darnau i fynd i mewn i'r ystafell y tu draw iddyn nhw, ond rwyt ti ac Amy'n mynd o'u cwmpas yn fwy gofalus.

Pan ydych chi'n mynd at y Doctor yn yr ystafell, rydych chi'n gweld ei fod e'n wynebu'r Sycoracs ar draws strwythur grisial rhyfedd sy'n llenwi canol y siambr fawr. O gwmpas y grisial mae tri estron arall yn sefyll – ffurfiau dynol gyda chribau rhyfedd ar eu pennau, croen gwyrdd golau a breichiau'n ymestyn allan. Maen nhw'n edrych fel petaen nhw wedi'u rhewi fel delwau.

Mae'r Sycoracs yn ymestyn allan tuag at y strwythur grisial.

'Peidiwch â chyffwrdd ag e!' sgrechia'r Doctor.

Os yw'r Sycoracs yn anwybyddu'r Doctor, cer i 19.

Os yw'r Sycoracs yn stopio, cer i 43.

Mae popeth yn mynd yn dywyll ac yna, ar ôl eiliad hir, mae'r goleuadau'n cynnau ac mae popeth yn dawel unwaith eto.

Mae'r swigen sebon wedi diflannu nawr, gan adael yr offer oedd o'i chwmpas yn deilchion ac wedi'u difetha.

Mae'r Doctor yn dy helpu di ac Amy i godi ar eich traed.

Y tu allan yn y labordy, rydych chi'n gweld bod criw'r ganolfan yn dod dros y profiad cas. Maen nhw'n rhydd rhag rheolaeth y Sycoracs nawr.

Mae'r Doctor yn sylweddoli'n gyflym beth ddigwyddodd yma.

Gan adael y criw i gael popeth yn ôl i drefn, mae'r Doctor yn eich arwain chi'n dawel 'nôl i'r TARDIS.

'Mae'n debyg bod y newidiwr siâp wedi cwympo yma yn yr Antarctig a bod y ganolfan 'ma wedi cael ei sefydlu i geisio codi'r llong ofod yn ei hôl. Cafodd yr Iarcop ei hanafu yn y ddamwain, ond llwyddodd hi i guddio pan symudodd y tîm UNIT y llong i'r ganolfan hon. Pan wnaeth yr Iarcop wella, fe greodd hi rôl iddi hi ei hunan.'

'Fel nyrs dan hyfforddiant,' meddet ti.

'Yn union,' medd y Doctor wedyn, 'roedd hi eisiau edrych fel pawb arall tra oedd hi'n meddwl am ffordd o gael y nwyddau roedd hi wedi'u dwyn a hi ei hunan oddi ar y blaned.'

'Ond wedyn cyrhaeddodd y Sycoracs,' dyfala Amy.

'Yn dynn wrth ei sawdl hi,' cytuna'r Doctor, 'ac fe aeth pethau o chwith yn sydyn.'

'Yn enwedig pan aeth y peth roedden nhw'n ymladd drosto â holl ynni'r TARDIS ac fe gawsoch chi eich tynnu i mewn!' meddet ti.

Rwyt ti'n gweld eich bod chi wedi cyrraedd y TARDIS sydd wedi'i oleuo i gyd ac yn edrych yn union fel ag yr oedd e.

'Mae hi'n amser mynd adref,' awgryma'r Doctor.

Y DIWEDD

Mae'r Doctor yn ceisio defnyddio'r sgriwdreifar sonig i ryddhau'r sgriwiau ac ar ôl ychydig o eiliadau, mae pob un o'r pedair sgriw'n symud a chyn hir, maen nhw yn llaw'r Doctor. Mae e'n tynnu'r clawr i ffwrdd ac yn ei roi wrth ei draed. Y tu draw iddo fe, mae twll du. Mae'r Doctor yn ymestyn ac yn bwrw'r ochr. CLANG! Siafft fetel yw hi, sy'n diflannu ar ei gwastad. Mae'r Doctor yn gwthio'i ben i'r twll ac yn defnyddio'r sgriwdreifar sonig i oleuo'r siafft.

'Mae'n edrych fel petai'n mynd ar ei gwastad am dipyn o ffordd, ond mae'n anodd dweud — fe allai droi ar i lawr unrhyw bryd.' Mae e'n tynnu rhan uchaf ei gorff allan o'r twll ac yn gwenu arnat ti ac Amy. 'Pwy sydd eisiau mynd ar wibdaith ryfeddol 'te?' gofynna.

Mae Amy'n ochneidio. 'O'r gorau, fe a' i'n gyntaf.'

Mae'r Doctor yn nodio. 'Ac fe ddo' i'n olaf,' cyhoedda, wrth iddo helpu Amy i mewn i'r siafft. I ffwrdd â hi'n gyflym i'r tywyllwch. Mae'r Doctor yn dy helpu di i'w dilyn hi.

Mae'r siafft yn dywyll ac yn oer, ond wrth i ti ddechrau symud ymlaen ar dy bedwar, mae dy lygaid yn addasu i'r diffyg golau ac rwyt ti'n gallu gweld Amy, sy'n diflannu i'r pellter.

Gan gadw dy ben i lawr rhag iddo fwrw top y siafft, rwyt ti'n bwrw i mewn i wal sydd o dy flaen di. Mae'r twnnel yn mynd i'r chwith ac i'r dde. Rwyt ti'n edrych y ddwy ffordd ond does dim golwg o Amy.

Os wyt ti'n mynd i'r chwith, cer i 52.

Os wyt ti'n mynd i'r dde, cer i 54.

Dim ond chwerthin y mae'r Doctor. 'Chi a Cathleen fan hyn yw'r unig aelodau o staff nad aethon nhw i goma,' medd ef wrth Yasin. 'Oherwydd chymeron nhw ddim samplau gwaed oddi wrthoch chi'ch dau. Dyna sut maen nhw'n rheoli'r lleill – roedden nhw'n gallu cael eu samplau gwaed nhw.'

'Pwy?' rwyt ti'n gofyn i'r Doctor, 'pwy sy'n eu rheoli nhw?'

'Mae gen i syniad cas iawn,' ateba. 'Oes unrhyw syniad gyda chi beth sydd gyda chi fan hyn?' Mae e'n troi at Yasin.

Mae Yasin yn edrych braidd yn swil. 'A bod yn onest – nac oes. Rydyn ni'n gwybod ei fod e'n dod o blaned arall ond dyna'r cyfan,' cyfaddefa.

Mae'r Doctor yn nodio ac yn rhedeg ei law drwy ei wallt.

'Beth sydd gyda chi fan hyn yw injan Math K Traws-System Pob Cyflymdra,' medd y Doctor wrtho. 'Yn y bôn, injan gyriant ystof eithaf syml, sy'n cael ei bolltio ar y darn 'ma o hen asteroid i'w droi'n llong ofod organig enfawr. Injan yw hon sy'n cael ei defnyddio gan griw annymunol o ysbeilwyr gofod o'r enw Sycoracs.'

'Felly'r Sycoracs sy'n rheoli'r bobl 'ma, druain bach?' meddet ti.

Mae'r Doctor yn pwyso yn erbyn rhan agosaf yr injan, gan fyfyrio.

Mae Amy'n dod â rhywbeth iddo y mae hi wedi'i ddarganfod gerllaw. Mae e'n edrych ychydig fel cyfrifiadur bach gyda bysellfwrdd rhifau syml a sgrin.

'Gwych,' medd y Doctor. 'PCI – Peiriant Cyfrifiadurol Isothermig. Gadewch i ni weld a allwn ni ei gael e i weithio.' Mae'n ei astudio am eiliad. 'Nawr, os cofia i'n iawn, dim ond PCI yw'r cod mynediad rhagosodedig.'

Os wyt ti eisiau defnyddio'r cyfrifiadur dy hunan, clicia ar flwch D ar y sgrin a theipio'r gair cod PCI.

Os yw'r Doctor yn rhoi'r gair cod i mewn, cer i 27.

'Peiriant amser? Dwi ddim yn eich credu chi!' rwyt ti'n ebychu.

'Peiriant gofod ac amser, a bod yn fanwl gywir,' ychwanega'r Doctor. Mae e'n dod draw atat ti ac yn rhoi'r sgriwdreifar 'nôl i ti.

'Diolch,' medd ef wrthot ti.

Rwyt ti'n ei roi e ym mhoced dy got ac yn ysgwyd dy ben yn anghrediniol. 'Felly mae peiriant gofod ac amser gyda chi sy'n ffitio mewn blwch bach ond does dim sgriwdreifar gyda chi? Sut mae hynny wedi digwydd?'

Mae'r Doctor yn rhedeg ei law drwy ei wallt ac yn edrych arnat ti, wedi'i ddychryn.

'O na, paid â chamddeall. Mae sgriwdreifar gyda fi, edrych.' Mae e'n rhuthro 'nôl i'r consol siâp madarch ac yn tynnu ffon fach fetelaidd allan o soced.

'Un sonig yw e, a dweud y gwir, mae'r llawlyfr yn dweud bod ganddo dros bedwar cant o osodiadau, ond mae un anfantais fach…'

'Dyw'r batri ddim yn para'n hir?' rwyt ti'n dyfalu.

'Dyw e ddim yn gallu trin sgriwiau Phillips,' cyfaddefa'r Doctor. 'O leiaf ddim yn dda iawn. A dwi bob amser yn anghofio nôl un pan fydda i ar y Ddaear.'

Mae Amy'n chwerthin. 'Hynny yw, drwy'r amser. Pryd dwi'n cael mynd i weld planed estron 'te?'

'Rwyt ti wedi bod i'r gorffennol ac i'r dyfodol, beth arall rwyt ti eisiau?' gofynna'r Doctor.

'Y gorffennol?' rwyt ti'n gofyn.

'Ie, yr Ail Ryfel Byd. Hongian o gwmpas gyda'r hen Winnie,' medd Amy wrthot ti a gwenu.

'Winnie the Pooh?' meddet ti.

'Winston Churchill, wrth gwrs,' ateba hi.

'O, iawn.' Rwyt ti'n ceisio peidio â swnio'n rhy siomedig.

Mae'r Doctor yn edrych arnat ti a gwên chwareus ar ei wyneb.

'Wyt ti'n ffansïo mynd am wibdaith fach glou dy hunan?' gofynna ef. 'Fe fyddwn ni 'nôl erbyn amser te, dwi'n addo. Peiriant amser yw hwn, wyt ti'n cofio?'

Os wyt ti'n barod i fynd, cer i 9.

Os wyt ti'n oedi, cer i 40.

'Beth yw e?' rwyt ti'n gofyn i'r Doctor. Doedd yr wyneb a welaist ti ar y sgrin ddim yn gwneud synnwyr rywsut – roedd e fel petai'r tu chwith allan, gyda phenglog fel asgwrn dros gyhyrau, a heb groen normal o gwbl. Rwyt ti'n cofio ei lygaid coch cynddeiriog ac yn llyncu mewn ofn.

'Sycoracs,' medd y Doctor. 'Carthysyddion cas, ofergoelus.'

'Dydyn nhw ddim yn estroniaid cyfeillgar 'te,' medd Amy.

'Ddim o gwbl,' medd y Doctor. 'Ro'n i'n meddwl efallai mai nhw oedd wrthi pan welais i'r cleifion coma 'na. Maen nhw'n cuddio eu gwyddoniaeth mewn rhyw fath o hud a lledrith fwdw, ond maen nhw'n arbenigo mewn rheoli gwaed. Fe aethon nhw â samplau gwaed y criw ac yna'u defnyddio nhw i roi pawb mewn coma.'

'Ond pam, tybed?' meddet ti.

Mae'r Doctor yn gwgu. 'Dwn i ddim. Ond fe gawn ni wybod yn ddigon buan. Yn gyntaf, mae'n rhaid i ni ddelio â hyn.'

Mae e'n chwifio'i law ar yr offer sydd ar yr unig fainc yn yr ystafell wydr. Mae'n edrych fel rhyw fath o arbrawf gwyddoniaeth gyda darnau o offer labordy o gwmpas swigen sebon ddisglair.

'Beth yw e? Ffordd newydd o greu swigod sebon?' meddet ti'n ysgafn, ond mae wyneb y Doctor yn edrych yn ddifrifol iawn.

'Microfydysawd yn cael ei ddal mewn maes statis,' medd ef wrthot ti'n ddifrifol. 'Cred ti fi, mae e'n fwy pwerus na holl arfau niwclear y byd gyda'i gilydd.'

'Pwerus *a* pheryglus?' gofynna Amy.

Os yw'r Doctor yn ateb cwestiwn Amy, cer i 5.

Os yw Nyrs Cathleen yn sgrechian, cer i 61.

Mae drysau'r lifft yn agor yn araf a'r tu ôl iddyn nhw, mae coridor hir. Mae e'n eithaf tywyll – ceir ychydig o olau lliw glas o ambell lamp yn y nenfwd, ond mae'r prif oleuadau wedi'u diffodd.

'Goleuadau argyfwng,' medd y Doctor o dan ei wynt, wrth i'r tri ohonoch fynd i lawr y coridor.

'Ond beth oedd yr argyfwng, tybed?' medd Amy.

Mae'r Doctor yn rhoi gwên sydyn. 'Dim syniad, mae e'n ddirgelwch, on'd yw e? Dwi'n dwlu ar ddirgelwch, wyt ti?'

Wrth i chi fynd ar hyd y coridor rydych chi'n mynd heibio i sawl drws. Mae pob un i'w weld ar glo, ond mae paneli gwydr yn y rhan fwyaf ohonyn nhw i chi gael edrych i mewn.

'Campfa sydd fan hyn,' meddet ti, gan edrych drwy un o'r paneli gwydr a gweld beiciau ymarfer, peiriannau rhedeg a pheiriannau codi pwysau.

'Ac mae rhyw fath o ffreutur fan hyn,' ychwanega Amy, gan edrych drwy ddrws yr ochr arall i'r coridor.

'Yn union beth fyddech chi'n ei ddisgwyl mewn rhyw fath o ganolfan ymchwil mewn man diarffordd fel hwn,' medd y Doctor. 'Dim ond un peth sydd ar goll…' medd ef wedyn.

'Pobl?' gofynna Amy.

Mae'r Doctor yn nodio. 'Mae'r lle'n hollol wag, does dim golwg o fywyd o gwbl. Mae'n dawel fel y bedd.'

Yn sydyn, rydych chi'n clywed sŵn symud y tu ôl i un o'r drysau.

Mae'r tri ohonoch chi'n edrych ar eich gilydd. Mae'r Doctor yn codi ei fys at ei wefusau ac yn cropian tuag at y drws. Ceir bysellbad bach, nesaf at y drws. 'Mae angen teipio gair cod,' sibryda. 'Tria "Admin",' awgryma ef.

Os wyt ti'n gallu mynd ar gyfrifiadur, clicia ar flwch A ar y sgrin a theipio'r gair cod ADMIN.

Os nad wyt ti'n gallu mynd ar gyfrifiadur, cer i 30

Mae'r Doctor yn teipio'r gair cod ac mae'r sgrin yn dod yn fyw.

Mae'r ddelwedd sydd arni'n ofnadwy. Wyneb estron – ffurf ddynol, ond gyda chyhyrau coch yn y golwg o dan asgwrn, felly mae'n edrych y tu chwith allan. Mae llygaid coch cynddeiriog yn edrych arnat ti. Mae'r creadur yn siarad, ond mae'r iaith yn estron ac yn hyll. Drwy lwc, mae'r ddyfais yn gallu rhoi cyfieithiad, ac mae hwnnw'n ymddangos mewn blwch arbennig.

'Pwy ydych chi a beth ydych chi eisiau?' teipia'r peiriant.

'Dwi eisiau eich helpu chi,' medd y Doctor, er mawr syndod i ti.

Mae'n ymddangos bod yr estron hefyd wedi cael syndod.

'Does dim angen help rhywogaethau israddol arnon ni,' mae e'n poeri 'nôl.

'Wel, yn gyntaf, nid "rhywogaeth israddol" ydw i ac yn ail – oes, mae angen help arnoch chi,' ateba'r Doctor yn araf. 'Nawr, gadewch i mi egluro hyn yn syml i chi. Fe golloch chi'r pŵer i gyd o'ch llong ofod a glaniodd hi fan hyn, on'd do?' Dydy'r estron ddim yn dweud dim ond mae e'n rhyw hanner nodio. 'A heb bŵer fe golloch chi eich system cynnal bywyd, felly fe wnaethoch chi i'ch criw farwgysgu. Ond nawr mae eich larwm wedi canu ac wedi'ch deffro chi. Pam?'

'Roedd ein cronfa ynni ni bron â mynd yn wag,' medd yr estron wrthoch chi drwy'r cyfieithydd.

'Ond drwy lwc, tra oeddech chi'n cysgu, cyrhaeddodd pobl y ganolfan fan hyn i archwilio eich llong chi. Felly fe gawsoch chi gyfle i gael pŵer a llafur caethweision. Felly'r cwestiwn yw — beth rydych chi eisiau i'r bobl yn y ganolfan 'ma wneud ar eich rhan?'

Os yw e'n ateb y Doctor, cer i 3.

Os yw e'n oedi, cer i 82.

Mae Amy'n rhedeg at y drws ac yn ei agor. Mae hi'n rhoi ei phen allan, yna'n baglu 'nôl i mewn, gan gau'r drws yn glep y tu ôl iddi. Rwyt ti'n gallu gweld ychydig o eira ar lawr y TARDIS y tu mewn i'r drws.

'Mae hi'n rhewi mas fan'na. O ddifrif. Yr Arctig,' medd hi.

'Yr Antarctig, a bod yn fanwl gywir,' ateba'r Doctor. 'Yn ôl y darlleniadau 'ma, dydyn ni ddim yn bell o Begwn y De,' medd ef wedyn. Yn sydyn, mae'r sgrin y mae e'n edrych arni'n troi'n ddu. 'Dyna'r pŵer wrth gefn wedi mynd nawr. Mae'n rhaid i ni fynd allan o fan hyn.'

Mae golwg wedi dychryn ar Amy. 'Dydych chi ddim o ddifri? Fe fyddwn ni'n rhewi i farwolaeth mewn munudau mas fan'na. Hyd yn oed heb bŵer, fe fyddai hi'n well arnon ni i mewn fan hyn.'

Mae'r Doctor yn ysgwyd ei ben. 'Ddim o gwbl.' O rywle o dan y consol, mae e wedi dod o hyd i dortsh ac mae e'n cynnau'r golau. Mae ystafell y consol yn dywyll a thawel, ac mae'n teimlo fel hen eglwys gadeiriol wag. 'Dilynwch fi,' medd ef cyn diflannu drwy ddrws mewnol.

Ychydig o funudau'n ddiweddarach, rydych chi 'nôl yn ystafell y consol ond erbyn hyn, rydych chi'n gwisgo siwtiau eira mae'r Doctor wedi dod o hyd iddyn nhw yn un o'i ystafelloedd wardrob enfawr. Rhai glas ydyn nhw ac maen nhw'n edrych yn debyg i dracwisgoedd cŵl. Er eu bod nhw'n ymddangos yn gyfforddus gyda pheth padin ynddyn nhw, dydyn nhw ddim yn teimlo'n arbennig o drwchus.

'Paid â phoeni,' mae'r Doctor yn dy gysuro, 'fyddi di ddim yn teimlo'r oerfel.'

Os wyt ti'n penderfynu mai ti sy'n mynd allan o'r TARDIS gyntaf, cer i 88.

Os wyt ti'n gadael i Amy fynd gyntaf, cer i 62.

Mae'r Doctor yn edrych ar y claf agosaf. Mae'n tynnu stethosgop o rywle ac yn gwrando ar galon a brest y dyn.

'Hmm, mae pethau'n swnio'n normal,' medd ef ar ôl ychydig, 'ond mae e'n bendant mewn coma dwfn.'

Yn sydyn, mae'r drws yn agor ac mae dynes ifanc mewn iwifform wen dwt yn dod i mewn. Mae hi'n edrych ar goll braidd.

'Chi yw'r meddyg wrth gefn?' gofynna hi, mewn llais yn llawn tensiwn.

'Y Doctor ydw i,' medd y Doctor wrthi, 'a phwy ydych chi?'

'Cathleen Murphy, nyrs dan hyfforddiant,' medd hi wrtho, gan ysgwyd ei law. Mae'r Doctor yn cyflwyno ti ac Amy'n gyflym iddi.

'Nid chi yw uwch aelod y staff meddygol yn y ganolfan, nage?' gofynna'r Doctor yn dyner.

'Nid fi ddylai fod,' cyfaddefa Cathleen, 'ond dyna Doctor Williams fan'na,' medd hi, gan bwyntio at y gwely pellaf. 'A dyna Doctor Kashta, Nyrs Staff Pryor a Nyrs Cato.'

'Fe gafodd pob aelod o'r uwch staff meddygol yr un salwch?' gofynna Amy'n amheus.

'Nid salwch yw e, go iawn, fe syrthion nhw i goma heb unrhyw reswm,' medd Cathleen wrthi.

'Ga' i weld eu nodiadau meddygol nhw?' gofynna'r Doctor.

Mae Cathleen yn edrych braidd yn swil. 'Maen nhw i gyd ar y gweinydd. Y drafferth yw fod peth o'r data wedi cael ei sgramblo.'

Mae hi'n mynd â chi draw at gonsol cyfrifiadur. 'Teipiwch unrhyw enw,' medd hi wrthot ti.

Os wyt ti'n gallu mynd ar gyfrifiadur, clicia ar flwch F ar y sgrin a theipio'r enw WILLIAMS.

Os nad wyt ti'n gallu mynd ar gyfrifiadur, cer i 73.

Rwyt ti'n teipio ADMIN i'r bysellbad ac mae'r drws yn llithro ar agor yn syth. Mae'r Doctor yn camu drwyddo'n ofalus ac rwyt ti ac Amy'n ei ddilyn.

Mae rhywbeth yn gweiddi mewn iaith estron. Dwyt ti ddim yn gwybod pa iaith yw hi, ond mae'r oslef yn glir; mae'r llais yn gas ac yn ymosodol. Mae gan y creadur sy'n siarad ffurf ddynol gyda llygaid coch ac wyneb sy'n edrych fel petai'r tu chwith allan, asgwrn allanol penglog a chyhyrau coch sydd i'w gweld yn glir. Mae e'n gwisgo rhyw fath o iwifform llwyth gyda darnau o asgwrn, gwallt a chroen yn hongian oddi ar ei wregys fel tlysau. Yn ei law, mae ganddo arf fel chwip sy'n clecian â gwefr drydanol.

Mae'r creadur yn sylweddoli nad wyt ti'n gallu deall ei iaith ac mae e'n chwarae â darn bach o dechnoleg sy'n hongian am ei wddf. Y tro nesaf mae e'n siarad, mae ei eiriau'n cael eu cyfieithu mewn llais cyfrifiadur sy'n dod o'i fwclis.

'Sycoracs ydyn ni. Rydyn ni'n mynnu eich bod chi'n esbonio pam ymosodoch chi ar ein llong ni!' medd ef yn eglur.

Mae'r Doctor yn codi'i ddwylo i roi'r arwydd heddwch arferol.

'Rydyn ni ein dau yn yr un cwch,' medd y Doctor.

Mae ychydig o oedi wrth i'r feddalwedd gyfieithu 'nôl i'r iaith arall. Nawr mae'r llais electronig yn ailadrodd ei eiriau yn iaith y Sycoracs.

'Cwch?' Gan weld bod yr estron wedi drysu, mae Amy'n ceisio egluro'r sefyllfa.

'Teithwyr ydyn ni hefyd. Fe gollodd ein… y… llong ofod ei phŵer i gyd. Rydyn ni'n chwilio am esboniad,' medd hi wrtho. 'Efallai y gallwn ni weithio gyda'n gilydd?'

Os yw'r estron yn cytuno ag awgrym Amy, cer i 85.

Os yw'r estron yn gwrthod cydweithio, cer i 2.

Rwyt ti ac Amy'n cymryd y twnnel i'r dde ac mae'r Doctor yn diflannu i'r twnnel ar y chwith ar ei ben ei hun.

Mae'n rhaid bod Amy'n gallu gweld dy fod ti'n poeni achos mae hi'n gwasgu dy law i'th gysuro ac yn dweud y bydd y Doctor yn dod 'nôl. 'Wnaiff e ddim mo'th adael di,' mae hi'n addo. 'Wrth gwrs, mae e'n gallu cymryd deuddeng mlynedd weithiau ond mae e bob amser yn dod 'nôl.' Mae hi'n gweld dy lygaid yn agor wrth iddi sôn am ddeuddeng mlynedd ac mae hi'n gwasgu dy law di eto. 'Dim ond unwaith wnaeth e hynny. Paid â phoeni. Nawr dere, gwell i ni fwrw ymlaen.'

Gan ddal ei ffôn symudol i fyny i roi ychydig o olau, mae hi'n dy arwain di ymlaen i'r tywyllwch. Mae'r llwybr yn mynd drwy'r graig ac yn mynd yn gulach wrth i chi fynd yn ddyfnach.

'Llong ofod ryfedd yw hon,' meddet ti, gan wthio drwy ran arbennig o gul o'r twnnel.

'Un peth dwi wedi'i ddysgu wrth deithio gyda'r Doctor,' medd Amy, 'yw na ddylet ti byth synnu gormod. Mae'r bydysawd yn llawn o bethau rhyfedd a hudol, felly mae e bob amser yn mynd i fod yn fwy rhyfedd, od a chyffrous nag y byddi di erioed yn gallu dychmygu. Felly man a man i ti ddechrau peidio â synnu, achos mae popeth yn mynd i'th synnu di!'

'Dwi'n credu 'mod i'n gallu gweld golau,' meddet ti wrth Amy, gan wthio heibio iddi ac ymlaen i'r twnnel.

Os wyt ti'n mynd ymlaen ar hyd y twnnel, cer i 99.

Os wyt ti'n clywed llais cyfarwydd, cer i 69.

Mae'r gwydr yn edrych yn hollol dryloyw, ond wrth gerdded o'i gwmpas, rwyt ti'n gweld nad wyt ti'n gallu gweld drwyddo i'r ochr draw.

'Hei, pam nad ydw i'n gallu gweld drwy'r gwydr 'ma?' rwyt ti'n gofyn yn uchel.

Mae'r Doctor yn dod draw i gael gwell golwg. 'O, clyfar iawn,' medd ef ar ôl iddo gerdded o gwmpas y blwch gwydr ddwywaith neu dair. 'Sut rwyt ti'n cuddio rhywbeth sydd yng ngolwg pawb? Ei roi e mewn blwch sy'n edrych fel petai'n wag. Hen dric gan ddewiniaid.'

Mae Amy'n sefyll wrth ochr Cathleen. 'A ddwedodd rhywun wrthoch chi erioed beth sydd ynddo fe?'

Mae Cathleen yn chwerthin. 'Fi? Does neb byth yn dweud dim wrtha i. Y cyfan dwi'n ei wybod yw mai beth bynnag sydd i mewn ynddo fe yw'r rheswm pam rydyn ni yma. Mae e mor bwysig â hynny.'

'Felly mae hi'n bwysig ein bod ni'n edrych y tu mewn iddo fe,' medd y Doctor. Mae e'n cymryd ei sgriwdreifar sonig ac yn ei symud drwy'r awyr yn agos at y gwydr, gan ddarllen rhywbeth arno fe. 'Hmm, mae olion rhywbeth fan'na,' medd y Doctor wrtho'i hunan. 'Ynni artron.'

'Beth yw hwnna?' rwyt ti'n gofyn iddo.

'Ynni amser yw e,' medd ef wrthot ti, 'ac yn y dwylo anghywir, mae e'n beth hynod o beryglus.' Mae drws yn un o'r pedair wal gyda chlo bysellbad rhifau arno.

'Dydych chi ddim yn digwydd gwybod beth yw cod hwn?' gofynna'r Doctor.

'Triwch 000,' awgryma Cathleen, 'dydyn nhw byth yn gallu cofio codau PIN, felly maen nhw'n aml yn ailosod pethau i 000.'

Os wyt ti'n gallu mynd ar gyfrifiadur, clicia ar flwch E ar y sgrin a theipio 000.

Os nad wyt ti'n gallu mynd ar gyfrifiadur, cer i 56.

Mae'r Doctor yn rhedeg draw at yr Athro, gan dynnu ei sgriwdreifar sonig o'i boced.

'Does dim llawer o amser gyda ni,' medd ef wrtho, 'ond mae angen i fi gael mynediad i'ch systemau rheoli chi. Mae angen i fi osod modylydd curiad ton i actifadu'r gronynnau artron sy'n sensitif i amser.'

Mae'r Athro'n arwain y Doctor at y cyfrifiadur agosaf . 'Does dim syniad gyda fi am beth rydych chi'n sôn, ond croeso mawr i chi wneud hynny.'

Mae'r Doctor yn dechrau tanio'r sgriwdreifar sonig at y cyfrifiadur cyn iddo eistedd a theipio ar gyflymder anhygoel.

Mae'r Rhyfelwr Sycorac yn camu ymlaen i sefyll wrth ei ysgwydd.

'Fydd hyn yn rhoi pŵer yn ôl i fy llong i?' mynna ef.

Mae'r Doctor yn nodio. 'Ond dwi eisiau i chi addo y byddwch chi'n gadael y blaned hon. Mae hi wedi cael ei gwarchod a does dim croeso i chi yma.'

Mae'r Sycorac yn gwenu'n wawdlyd. 'Dy'n ni ddim eisiau bod yma beth bynnag. Rhowch fy llong i mi ac fe awn ni.'

'Alla i ymddiried mewn Sycorac?' gofynna'r Doctor gan edrych i gannwyll llygad yr estron.

'Alla i ymddiried mewn pobl?' medd y Sycorac yn gadarn.

'Mae'n debyg y bydd yn rhaid i chi,' medd Amy, gan gamu i mewn rhyngddyn nhw. 'Bant â'r cart 'te, Doctor,' awgryma hi, ac mae'r Doctor yn dychwelyd at ei waith.

'O'r gorau,' medd ef eiliad yn ddiweddarach. 'Pan fydda i'n gwasgu'r botwm "i mewn", dylai popeth gael ei wrthdroi...' Mae e'n oedi, cyn ychwanegu, 'Gobeithio!'

'Dyna ddigon o siarad,' mynna'r Sycoracs ac wrth iddo wthio heibio i'r Doctor, mae e'n gwasgu'r botwm.

Os yw'r Doctor yn gweiddi rhybudd, cer i 74.

Os oes mellt glas yn ymddangos dros y Sycoracs i gyd, cer i 38.

34

Wrth i ti edrych dros y gwastadedd gwyn o eira, rwyt ti'n meddwl dy fod ti'n gweld bod rhywbeth o'i le.

'Beth yw hwnna, draw fan'na?' rwyt ti'n gweiddi, gan bwyntio i gyfeiriad y gwrthrych rhyfedd.

Mae Amy'n gwgu. 'Alla i ddim gweld dim byd,' cwyna hi.

'Tria'r rhain,' awgryma'r Doctor, gan roi binocwlars pitw bach mae e wedi'u tynnu o un o bocedi ei siwt.

Rwyt ti'n eu cymryd ac yn edrych drwyddynt. Rwyt ti'n cael gwell golwg ar yr hyn welaist ti'n syth. Nawr, mae hi'n llawer mwy amlwg nad rhan o'r dirwedd naturiol yw e.

'Llong ofod arall sydd wedi cwympo yw hi, yntê?' rwyt ti'n sylweddoli.

Mae 'na ambell asgell hir osgeiddig arni, fel y "spoilers" ar gar clasurol, ond mae prif gorff y llong yn edrych fel soser hedegog draddodiadol. Mae hi'n sownd yn yr eira ar ongl, fel petai hi wedi glanio'n eithaf gwael.

'Dwi bron yn siŵr mai llong ofod Hopran Marc Tri yw hi,' medd y Doctor wrthot ti, 'model poblogaidd ar gyfer teithio traws-systemau. Fe allet ti ddweud mai hi yw Ford Mondeo y llongau gofod.'

Rwyt ti ac Amy'n edrych arno fe.

'Dwi'n ceisio ei rhoi hi mewn cyd-destun i chi, dyna i gyd,' medd y

Doctor, a golwg braidd yn boenus ar ei wyneb.

'Ro'ch chi'n swnio fel Jeremy Clarkson,' medd Amy wrtho, 'a dyw hynny ddim yn beth da!'

'Mae hithau'n edrych fel petai hi wedi syrthio i lawr hefyd, on'd yw hi?' awgrymi di.

Mae'r Doctor yn dechrau cerdded tuag ati. 'Dim ond un ffordd sydd 'na i gael gwybod!'

Os wyt ti'n dod o hyd i'r fynedfa, cer i 51.

Os yw'r Doctor yn dod o hyd i'r fynedfa, cer i 15.

Mae'r Doctor yn neidio o flaen y Rhyfelwr Sycoracs â'i freichiau ar led. 'Na, arhoswch! Peidiwch, plis,' gwaedda. Er mawr syndod i ti, mae'r Rhyfelwr yn rhoi ei fraich i lawr.

'Y creadur 'ma sy'n gyfrifol am sugno'r pŵer o fy llong i,' medd y Sycoracs.

'Ie, ond hefyd dyna'r unig obaith sydd gyda chi o gael yr ynni yna 'nôl,' medd y Doctor wrtho. 'Os ymosodwch chi arno fe, wnewch chi byth ddianc oddi ar y blaned hon.'

'Eglurwch,' mynna llais electronig y peiriant cyfieithu.

Mae'r Doctor yn camu at y cynhwysydd ac yn codi llaw ar y creadur pinc.

'Erali yw'r cyfaill bach 'ma. Creaduriaid sy'n nofio drwy wactod y gofod dwfn ydyn nhw. Weithiau maen nhw'n treulio miloedd o flynyddoedd rhwng pob pryd bwyd. Felly, fel camelod ar y blaned hon, maen nhw'n cael eu hadeiladu i storio'r bwyd allai fod ei angen arnyn nhw rhwng prydau.'

'Yn y braster yn eu crybiau nhw, ie?' ychwanega Amy. 'Felly fe sugnodd yr Erali 'ma ein pŵer ni i gyd achos ein bod ni'n digwydd mynd heibio?'

Mae'r Doctor yn nodio. 'Ac allai e ddim credu ei lwc. Dwy ffynhonnell ynni enfawr. Ond mae hi'n anodd iddo fe reoli ei systemau bwydo. Allai e ddim peidio â sugno'r holl bŵer o'r llongau, a nawr mae ganddo'r bola tost gwaethaf erioed.'

'Fel y Lindysyn Llwglyd Iawn?' meddet ti.

Mae'r Doctor yn gwenu. 'Rhywbeth fel'na; ond fydd yr Erali ddim yn troi'n bilipala.'

'Ond sut cawn ni'r ynni 'nôl, tybed?' gofynna Amy.

'Arglwydd Amser ydw i, mae rheolaeth ryfeddol gyda ni dros ein bioleg ein hunain. Dwi ddim yn gallu gweld pam na alla i helpu'r Erali i reoli ei bioleg hithau hefyd. Yr unig beth sydd angen ei wneud yw cysylltu fy meddwl i â'i meddwl hi. Felly, os rhowch chi funud i mi...'

Heb esbonio ymhellach, mae e'n gadael ei hunan i gwympo i mewn i'r cynhwysydd, lle mae e'n cael ei amsugno'n syth i'r sylwedd pinc.

Eiliadau'n ddiweddarach, mae arwyneb yr hylif yn dechrau ffrwtian a siglo fel petai'n dod i'r berw. Rwyt ti ac Amy'n symud cam yn ôl. Yn sydyn, daw fflach o olau gwyrddlas ac rwyt ti'n cael dy ddallu am eiliad.

Pan wyt ti'n agor dy lygaid eto, mae'r Doctor yn sefyll yng nghanol y cynhwysydd crwn sy'n wag bellach.

'Ble mae'r Erali?' rwyt ti'n gofyn.

'Wedi mynd,' medd y Doctor wrthot ti gan wenu. ''Nôl i'r gofod. A sôn am hynny...' Mae e'n troi at y Sycoracs. 'Mae eich llong chi'n llawn tanwydd eto ac yn barod i adael. Peidiwch â cholli eich ehediad.' Mae'r Sycoracs yn gosod ei chwip wrth ei wregys ac yn troi ar ei sawdl heb ddweud gair.

'Felly pam roedd yr Erali yma, tybed?' meddet ti.

'Fe aeth hi ar goll a chwympo i'r Ddaear,' medd y Doctor wrthot ti, 'ac fe ddaeth y gwyddonwyr yn y ganolfan 'ma o hyd iddi a cheisio ei harchwilio hi. Yn anffodus, pan geision nhw roi pelydr X iddi hi, fe gafodd hi ofn a gollwng sioc don ynni a laddodd bawb yn y ganolfan drwy ddamwain.' Mae'r Doctor yn edrych yn ddifrifol. 'Fe ddylai'r ganolfan 'ma gael ei gadael yn wag a'i hanghofio, dwyt ti ddim yn meddwl? Mae hi'n amser i ni fynd...'

Os wyt ti'n arwain y ffordd, cer i 12.

Os yw Amy'n arwain y ffordd, cer i 55.

Mae dyn mewn cot wen yn ymddangos o'r tu ôl i un o'r peiriannau. Mae e'n denau ac yn welw ac mae'r ychydig o wallt sydd ganddo ar ongl ryfedd.

Mae'r Rhyfelwr Sycoracs yn codi ei chwip ond mae'r Doctor yn cydio yn ei fraich.

'Gan bwyll – gadewch i ni ofyn cwestiynau'n gyntaf, o'r gorau?' Mae'r Doctor yn symud yn chwim o flaen yr estron ac yn mynd at y dyn yn y got wen.

Mae'r dyn yn edrych yn ofnus ond mae hi'n amlwg fod y Doctor yn codi llai o ofn arno na'r estron.

'Beth sy'n digwydd fan hyn?' gofynna'r Doctor.

'Dwn i ddim…' medd y dyn yn ansicr.

Mae'r Sycoracs yn codi ei chwip eto ond mae'r Doctor yn codi ei law i'w rwystro. 'Gadewch i mi ddyfalu… canolfan ymchwil ynni yw hon, yntê?' medd y Doctor.

Mae'r dyn yn nodio. 'Yr Athro Gerald Howkins ydw i, a fy mhrosiect i yw hwn. Prosiect Egnioli.' Mae'r dyn yn agor ei ddwylo i ddangos bod y ganolfan i gyd yn rhan o'r prosiect, ond dydy e ddim yn edrych yn falch. Mae e'n edrych fel dyn sydd wedi torri.

'Ond mae'r cyfan wedi mynd o chwith i gyd,' cyfaddefa, gan syrthio'n swp i gadair blastig wrth un o'r nifer o gyfrifiaduron sydd hwnt ac yma rhwng y peiriannau. Mae'r Doctor yn edrych o gwmpas ar y darnau o offer.

'Felly rhyw fath o fagnet ynni sydd gyda ni fan hyn, ie?' gofynna.
Mae'r Athro'n edrych i fyny, yn amlwg wedi'i synnu.
'Ie, ond sut yn y byd gallech chi fod yn gwybod hynny?'

Os yw'r Rhyfelwr Sycoracs yn codi ei chwip, cer i 87.

Os yw'r Doctor eisiau clywed rhagor, cer i 11.

Rydych chi'n penderfynu cymryd y coridor ar y chwith. Mae'r Doctor yn arwain y ffordd.

'Ble mae'r criw, tybed?' rwyt ti'n gofyn.

'Cwestiwn da,' medd y Doctor, 'ond does gen i ddim ateb. Cofia, er ei bod hi'n llong fawr, efallai nad oes llawer o griw arni. Mae'r rhan fwyaf o'r systemau wedi'u hawtomeiddio.'

'Ond mae'n rhaid bod rhai pobl ar ei bwrdd hi,' medd Amy. 'Rhagor o estroniaid fel yr hen Wyneb Penglog?'

Mae'r Doctor yn codi ei ysgwyddau. 'Dwn i ddim. Ond dwi'n gwybod bod gen i deimlad gwael am hyn. Oes gen ti?'

Rwyt ti'n crynu heb i ti sylweddoli. Ydy hi wedi oeri ychydig? Mae syniad yn dy daro di.

'Ydy hi'n bosib mai rhywbeth ar y llong 'ma sugnodd y pŵer i gyd?' rwyt ti'n gofyn.

'Mae unrhyw beth yn bosib,' medd y Doctor wrthot ti.

Mae hi'n anodd bod yn siŵr achos dydy'r llong ddim yn gorwedd yn hollol lorweddol ond rydych chi fel petaech chi wedi mynd i lawr yn araf wrth gerdded ar hyd y coridor. Yn sydyn, rydych chi'n cyrraedd at ddrws mawr sydd ar gau. Mae'r panel yng nghanol y drws o wydr du, ac mae'n amhosibl gweld drwyddo.

Nesaf at y drws, mae bysellbad rhifau bach.

Mae'r Doctor yn nôl ei sgriwdreifar sonig ond yn ysgwyd ei ben yn gyflym. 'Fydd sonig ddim yn gallu'i dorri fe, mae angen y cod arnon ni.'

'Efallai nad yw e wedi cael ei osod, efallai mai cod rhagosodedig y ffatri sydd arno fe, fel ffôn,' rwyt ti'n awgrymu.

'Beth am 7890?' medd Amy.

'Pam lai?' gwena'r Doctor.

Os wyt ti'n gallu mynd ar gyfrifiadur, clicia ar flwch B ar y sgrin a theipio'r cod 7890.

Os nad wyt ti'n gallu mynd ar gyfrifiadur, cer i 20.

Mae'r Rhyfelwr Sycoracs yn baglu o gwmpas mewn gwe o drydan glas disglair sy'n rhedeg dros ei gorff i gyd. Mae'r Doctor yn tanio ffrwydrad o'r sgriwdreifar sonig ac yn tynnu llinyn o'r ynni glas oddi ar yr estron ac yn ei roi ar gabinet ffeilio metel gerllaw. Yna mae e'n rhedeg draw at y cabinet, ac ar ôl newid y gosodiad, mae e'n gadael i'w sgriwdreifar sonig fynd yn sownd wrtho.

'Ydy e'n fagnetig?' rwyt ti'n gofyn iddo.

'Mae e'n llawer o bethau,' medd y Doctor. 'Yr eiliad hon, abwyd yw e.'

Wrth i ti wylio, mae'r ynni glas sy'n llifo dros y Sycoracs yn dechrau symud i ffwrdd, fel petai'n cael ei dynnu ar hyd y llinyn o fellt sy'n arwain at y cabinet. Ymhen eiliadau, mae'r ynni'n chwyrlïo o gwmpas y cabinet ac mae'r estron yn rhydd. Mae e'n edrych ar y Doctor, yn ddryslyd ond yn ddiolchgar.

'Peidiwch â sôn,' medd y Doctor cyn troi 'nôl at y broblem fwy. 'Iawn, mae angen i ni roi'r ynni 'nôl yn ein llongau gofod a rhwystro'r lle 'ma rhag diflannu i dwll mewn gofod ac amser sy'n ddigon mawr i lyncu holl gysawd yr haul,' cyhoedda ef. 'Unrhyw syniadau?' Mae'r Doctor yn edrych yn wyllt o gwmpas yr ystafell. 'Beth sydd ei angen arna i yw mynediad at graidd y cwmpas. Os galla i wrthdroi polaredd y llif niwtronau…'

Mae'r Doctor yn rhedeg draw at banel yn y peiriant sydd yng nghanol yr ystafell. 'Dim ond un broblem,' cyhoedda, gan bwyntio at y sgriwiau sy'n dal y panel mynediad, 'mae'r sgriwdreifar sonig yn cadw'r ynni rhag gollwng ac mae angen i mi ddadsgriwio'r panel 'ma.'

Rwyt ti'n tynnu rhywbeth allan o'th boced. 'Allai hwn helpu?' rwyt ti'n gofyn, gan estyn y sgriwdreifar fenthycaist ti i'r Doctor 'nôl ar y Ddaear.

'Perffaith.' Mae'r Doctor yn agor y panel yn sydyn ac yn diflannu i grombil y peiriant. Eiliadau'n ddiweddarach, mae e'n rhoi bloedd fuddugoliaethus ac yn dod allan.

'Wel?' medd Amy.

'Newyddion drwg; cafodd dy sgriwdreifar di ei osod yn ei le i drwsio'r peth ac mae'n rhaid iddo aros yno,' medd ef wrthot ti, 'ond y newyddion da yw – fe weithiodd e!'

Mae e'n mynd draw at y Sycoracs ac yn ei helpu i godi. 'Mae pŵer gan eich llong chi. Nawr, gadewch y blaned hon.'

Mae'r Sycoracs yn cerdded at y drws ac yna'n edrych 'nôl ac yn nodio'i ben i gydnabod y Doctor cyn iddo droi ar ei sawdl a gadael.

'Mae'n well i ni fynd hefyd,' medd y Doctor, gan gerdded draw at yr Athro. 'Ond mae angen i chi edrych yn rhywle arall am ffynonellau ynni newydd. Allwch chi ddim cael ynni am ddim drwy ei ddwyn e.'

'Na alla, dwi'n gweld hynny,' medd yr Athro wrtho. Roedd hi'n amlwg iddo gael ei ddychryn gan ei brofiadau.

Mae'r Doctor yn pwyso'n nes ac yn sibrwd. 'Peidiwch â dweud wrth unrhyw un 'mod i wedi dweud hyn, ond efallai yr hoffech chi edrych ar systemau llif niwtronau i gael gwell ffordd o storio ynni. Pob lwc.'

Mae'r Doctor yn troi'n ôl atat ti ac Amy. 'Iawn 'te – y TARDIS ac adref.'

Mae Amy'n gweld yr olwg ar dy wyneb di. 'Gawn ni wneud dyn eira'n gynta?' awgryma hi.

Mae'r Doctor yn edrych ar y ddau ohonoch chi ac yna'n gwenu. 'O'r gorau.'

Y DIWEDD

Mae pob un o'r cleifion coma wedi codi o'u gwelyau nawr ac yn symud yn araf tuag atat ti, fel sombïaid neu bobl sy'n cerdded yn eu cwsg. Mae eu llygaid ar agor ond dydyn nhw ddim yn edrych fel petaen nhw'n gallu gweld. Maen nhw'n dod yn nes at y pedwar ohonoch chi, gan estyn eu breichiau.

'Doctor,' medd Amy'n swta, 'gadewch i ni fynd o fan hyn.' Rwyt ti'n teimlo'r drws y tu ôl i ti ac yn ei agor yn gyflym. Mae'r pedwar ohonoch chi'n cwympo drwy'r drws agored ac yn rhedeg i lawr y coridor, heb edrych yn ôl i weld a oes rhywun yn dod ar eich ôl chi.

Mae Cathleen yn rhedeg gyda chi. Mae golwg wedi dychryn ar y nyrs dan hyfforddiant. 'Beth sy'n digwydd?' llwydda hi i ofyn.

'Ro'n i'n gobeithio y gallech chi ddweud wrthon ni,' medd y Doctor.

'Hynny yw, gyda'r cleifion?' mynna hi.

'O, nhw,' medd y Doctor yn hamddenol, 'mae hynna'n hawdd. Rheolaeth bio-adborth drwy waed. Syml ond clyfar. Fe welais i rywbeth tebyg Nadolig neu ddau 'nôl.'

Mae Amy'n edrych y tu ôl i chi.

'Dwi ddim yn credu eu bod nhw'n ein dilyn ni,' medd hi wrthoch chi. Rydych chi'n stopio rhedeg a'ch gwynt yn eich dwrn.

'Felly beth yn union yw pwrpas y ganolfan 'ma?' gofynna'r Doctor.

Mae Cathleen yn gwenu'n gam. 'Alla i ddim dweud wrthoch chi heb ganiatâd pennaeth y ganolfan.'

'Felly gadewch i ni ddod o hyd iddi hi,' medd Amy. Mae ei hwyneb yn syrthio. 'Peidiwch â dweud wrtha i mai dyn yw e? Pam mai dynion sydd bob amser yn rheoli pethau?'

'A dweud y gwir, menyw yw ein pennaeth ni,' medd Cathleen wrthi. 'Rydych chi wedi cwrdd â hi'n barod. Roedd hi yng ngwely pedwar!'

'Ydy'r criw i gyd mewn coma?' rwyt ti'n gofyn.

Mae Cathleen yn nodio. 'Pawb ond fi.'

'A chymerodd neb sampl gwaed oddi wrthoch chi gyda'r gweddill?' dyfala'r Doctor.

'Fe gymerais i sampl pawb arall pan gyrhaeddon ni ond anghofiais i gymryd fy sampl fy hunan,' cyfaddefa hi.

'Felly chi yw'r unig un sydd ar ôl, yr unig un sy'n gallu ein helpu ni i ddatrys hyn. Felly beth yw pwrpas y ganolfan 'ma?'

'Gadewch i mi ddangos i chi,' medd hi gan eich arwain chi i lifft sy'n mynd â chi i lawr i lefel is yn y ganolfan.

Yn y lifft, mae Cathleen yn egluro ychydig yn rhagor am y ganolfan.

'Rydyn ni ddeg metr o dan arwyneb yr Antarctig,' medd hi. 'Bwriad y ganolfan yn wreiddiol oedd galluogi tîm o arbenigwyr i astudio a mesur effeithiau cynhesu byd-eang. Ond rai misoedd yn ôl, fe newidiodd pethau a daeth tîm o arbenigwyr rhyngwladol yma a oedd wedi cael eu casglu at ei gilydd gan gorff dirgel o'r enw UNIT.'

Dwyt ti ac Amy erioed wedi clywed amdano, ond mae'r Doctor yn gwenu'n syth.

'Felly tybed pam mae fy hen ffrindiau yn UNIT eisiau canolfan yn yr Antarctig?' medd ef.

Mae'r lifft yn stopio ac mae'r drysau'n agor. Y tu draw iddyn nhw mae labordy modern golau sy'n llawn o'r offer uwch-dechnoleg diweddaraf. Mae ystafell fach ag ochr wydr iddi yng nghanol y llawr.

Rydych chi'n symud allan o'r lifft ac yn dechrau edrych o gwmpas. Mae'r Doctor yn mynd draw'n syth i gael gwell golwg ar yr ystafell wydr.

Os gwydr clir yw e, cer i 32.

Os gwydr tywyll yw e, cer i 80.

'Gwibdaith, yn y peth 'ma?'

'Mae e'n gallu mynd i unrhyw le mewn gofod ac amser,' mynna'r Doctor.

'Ond gan amlaf i'r Ddaear, yn fy mhrofiad i,' medd Amy o dan ei gwynt, gan sibrwd ychydig bach yn rhy uchel.

Yn sydyn, mae'r Doctor wrth y consol rheoli. Mae'n dawnsio o gwmpas y paneli amrywiol ac mae e'n edrych fel petai e'n troi botymau ac yn symud switshys ar hap.

'Dewch 'te, bant â ni.'

Mae e'n tynnu lifer ac o rywle'n ddwfn oddi tanot ti, mae injans hynafol yn dechrau chwyrnu. Mae sŵn tebyg i eliffant yn sgrechian yn llenwi'r ystafell.

'Gan bwyll,' rhybuddia Amy, 'mae e'n sigledig braidd wrth gael y peth 'ma i godi.'

'Hei, paid â dilorni'r gyrrwr,' medd y Doctor gan wenu, ond heb dynnu ei lygaid oddi ar yr holl ddeialau a sgriniau.

Yn sydyn, mae'r sŵn yn cynyddu ac yna mae popeth yn tawelu, heblaw am hymian rhythmig yn y cefndir sy'n gwneud i'r llong swnio'n fyw rywsut.

'Felly, faint o amser mae e'n ei gymryd, tybed?' meddet ti.

'Pa mor ddwfn yw'r môr?' ateba'r Doctor gan chwerthin.

'Hynny yw, does dim syniad ganddo fe,' medd Amy wrthot ti.

Heb rybudd, mae'r llawr o dan dy draed yn crynu ac rwyt ti'n bwrw i mewn i Amy.

'Beth yw hwnna?' rwyt ti'n holi, wrth i gloch soniarus ddechrau canu'n uchel.

'Newyddion drwg,' medd y Doctor o dan ei wynt.

Rwyt ti'n gallu gweld wrth wyneb Amy nad yw hi erioed wedi clywed y sŵn yma o'r blaen.

'Oes rhywbeth yn mynd o chwith?' rwyt ti'n gofyn iddi.

Os yw Amy'n ateb, cer i 59.

Os yw'r Doctor yn ateb, cer i 66.

Mae'r Sycoracs yn mynd i egluro rhagor ond yn sydyn, daw sŵn sgrechian ofnadwy ac mae'r ddelwedd yn diflannu. Mae'r sgrin yn mynd yn wag ac mae eiliad hir o dawelwch.

'Beth ddigwyddodd, tybed?' rwyt ti'n gofyn.

'Dwi'n credu bod y peth sy'n bwyta ynni newydd ei ddal e,' medd y Doctor o dan ei wynt, a golwg ddifrifol ar ei wyneb.

'Ond fe allwch chi ei stopio fe, yn gallwch chi?' gofynna Amy.

'Wrth gwrs,' ateba'r Doctor yn hyderus, cyn difetha'r effaith braidd drwy ychwanegu, 'dwi'n credu y galla i. Wel, dwi'n gweithio ar gynllun, beth bynnag.'

'Gweithio ar gynllun!'

'Paid â phoeni, erbyn i ni ddod o hyd i'r peth fe fydd gen i gynllun yn barod,' medd ef i'w chysuro.

Mae e'n mynd draw i archwilio injan y Sycoracs. 'Mae hon yn edrych yn iawn. Os gallwn ni wrthdroi'r sugno ynni, fe all yr injan yma lansio'r llong 'nôl i'r gofod heb ormod o drafferth.'

'Beth am y ganolfan?' gofynna Cathleen.

'Ewch lan 'na a dweud wrth bawb am adael,' awgryma'r Doctor. 'Oes llochesau argyfwng gyda chi?' Mae Cathleen yn nodio. Mae'r Doctor yn parhau i roi gorchmynion, 'Fe ddylai'r cleifion coma fod wedi cael eu rhyddhau erbyn hyn. Fe fyddan nhw'n teimlo'n swrth ond byddan nhw'n gallu gwneud beth sydd ei angen.'

  'Mae angen pob help arnon ni i ddal y peth 'ma, on'd oes?' meddet ti.

  'Pwy soniodd unrhyw beth am ei ddal e?' medd y Doctor yn wên o glust i glust. 'Meddwl am gael sgwrs fach ag e roeddwn i.'

Os oes angen i'r Doctor barhau i ddefnyddio'r gwelyfr, cer i 64.

Os yw e'n mynd i mewn i'r ogofâu, cer i 93.

Mae'r lifft yn stopio, ond dydy'r drysau ddim yn agor.

Rwyt ti ac Amy'n edrych yn nerfus ar eich gilydd.

Mae'r Doctor yn camu ymlaen yn hamddenol ac yn bwrw'r drysau â'i ddwrn. Mae'r drysau'n dechrau agor yn araf ac mae'r Doctor yn cydio yn y ddau ohonyn nhw ac yn eu helpu i agor yn llawn.

Y tu draw i'r lifft mae coridor hir, gydag ambell olau glas yn y nenfwd yn ei oleuo. Mae'r prif oleuadau wedi'u diffodd.

'Goleuadau argyfwng, efallai?' medd Amy, wrth i chi ddechrau gweld beth sydd yno.

'Neu efallai mai goleuadau nos ydyn nhw,' medd y Doctor. 'Mae angen i ganolfan fel hon gadw cylch dydd/nos er mwyn y rhai sy'n byw ynddi.'

Rydych chi'n dechrau cerdded ar hyd y coridor, gan fynd heibio i nifer o ddrysau wrth i chi symud. Mae panel arsylwi ym mhob drws, felly rydych chi'n gallu edrych i mewn i'r ystafelloedd tywyll.

Rydych chi'n dod o hyd i gampfa sy'n llawn beiciau ymarfer ac offer arferol eraill, a ffreutur arferol gyda pheiriannau gwerthu ynddi.

'Tybed ble mae'r bobl?' medd y Doctor.

Yn sydyn, rydych chi'n clywed rhywbeth yn cwympo yn un o'r ystafelloedd gerllaw. Yn syth, rydych chi i gyd yn sefyll yn stond. Mae'r Doctor yn codi ei fys at ei wefusau ac yn mynd ar flaenau ei draed tuag at yr ystafell lle clywodd e'r sŵn.

Mae bysellfwrdd bach nesaf at y drws, gyda llythrennau'r wyddor arno.

'Beth yw'r cyfrinair, tybed?' medd y Doctor o dan ei wynt. 'Pengwin, Antarctig… Neu efallai na wnaethon nhw osod un o gwbl. Tria ADMIN.'

Os wyt ti'n gallu mynd ar gyfrifiadur, clicia ar flwch A ar y sgrin a theipio'r gair cod ADMIN.

Os nad wyt ti'n gallu mynd ar gyfrifiadur, cer i 30.

Mae'r Rhyfelwr Sycoracs yn oedi ac yn edrych ar y Doctor.

'Peidiwch â chyffwrdd â'r grisial,' medd y Doctor eto. 'Mae e'n beryglus.'

Mae'r Sycoracs yn dangos ei ddannedd ac yn hisian arno. 'Ydych chi'n meddwl bod ofn arna i?'

'Na, dim ofn, rydych chi'n dwp, dyna i gyd… Gwrandewch arna i…' mynna'r Doctor.

Mae'r Sycoracs yn ei wthio o'r neilltu ac yn troi i edrych ar y grisial. 'Fi fydd biau hwn!' medd ef wrth ymestyn i gyffwrdd â'i wobr befriog.

Cyn gynted ag y mae e'n cyffwrdd â'r grisial, rwyt ti'n gallu gweld ei fod e wedi gwneud camgymeriad. Ond cyn y gall e ddweud gair, mae rhyw barlys yn ei lethu'n llwyr.

Mae Amy'n helpu'r Doctor i godi ar ei draed. Mae e'n tynnu wyneb, wedi'i siomi na wrandawodd yr estron arno fe.

'Beth wnaeth y grisial 'na iddo fe?' gofynna Amy.

'Mae e wedi'i ddadfachu e oddi wrth amser,' medd y Doctor wrthoch chi, 'yn union fel y rhai gwyrdd 'ma.' Mae e'n pwyntio at yr estroniaid. 'Maen nhw'n fyw, ond yn byw bywyd filiwn o weithiau'n arafach nag arfer.'

'Felly pwy yw'r rhain?' rwyt ti'n gofyn, gan edrych yn fwy manwl ar yr estroniaid gwyrdd eu croen.

'Atraiaid, masnachwyr ydyn nhw,' ateba'r Doctor. 'Maen nhw'n teithio dros y lle i gyd yn prynu ac yn gwerthu cynnyrch diwylliannau eraill. Ddim yn wahanol iawn i'r Sycoracs a dweud y gwir, ond maen nhw ychydig bach yn fwy onest am yr hyn maen nhw'n ei wneud. Mae'n rhaid eu bod nhw wedi codi'r Trawsnewidydd Ynni H'R'R'lurrniki yma heb ddeall yn iawn beth roedden nhw wedi'i wneud.'

'A beth yn union yw e?' gofynna Amy, gan gerdded yn araf o gwmpas y grisial ond gan gadw'n ddigon pell oddi wrtho.

'Storfa ynni hanner organig, wedi'i chreu gan Archdyfwyr Clwstwr H'R'R'lurrniki. Mae canolfannau garddio gwych ar Brif Blaned H'R'R'lurrniki.'

'Felly beth aeth o'i le? Pam mae e'n rhewi pobl mewn amser?' meddet ti.

'Fi sydd ar fai, mae arna i ofn. Fe ddaeth y TARDIS o fewn cyrraedd ac roedd yn rhaid i'r grisial fynd â'r ynni artron sydd ynddo fe. Y drafferth yw bod hwnnw'n gweithio mewn amser ac yn anodd ei gadw mewn un lle. Nawr mae'n gollwng ynni artron ac yn achosi'r pocedi 'ma o amser araf.'

'Felly diffoddwch e,' awgryma Amy.

'Haws dweud na gwneud,' medd y Doctor. 'Ond fe ro' i gynnig arni. Nawr, fel person sy'n sensitif i amser, fe ddylwn i fod yn gallu gwrthsefyll yr artron a chyfathrebu drwy delepathi â systemau rheoli'r grisial...'

Mae e'n tewi ac yn gwenu'n sydyn arnoch chi. 'Rhowch fi mewn gardd fach yn rhywle!' Ar hynny, mae e'n ymestyn ac yn cyffwrdd â'r grisial.

Am eiliad does dim yn digwydd ac yna mae realiti fel petai'n cael ei ystumio o flaen dy lygaid. Mae popeth yn dechrau chwyrlïo fel petai'n cael ei sugno i drobwll enfawr ac yna, diolch byth, rwyt ti'n llewygu.

Pan wyt ti'n agor dy lygaid, rwyt ti'n gorwedd ar lawr y TARDIS. Ar ôl iddo weld dy fod ar ddihun, mae'r Doctor yn dy helpu i godi ar dy draed.

'Beth ddigwyddodd?' rwyt ti'n gofyn.

'Fe weithiodd e,' medd y Doctor wrthot ti, gan wenu. 'Fe lwyddais i wrthdroi'r llif ynni a gadael i'r ynni artron ailosod amser. Mae'r Sycoracs a'r Atraiaid wedi mynd 'nôl i'r gofod ac mae'r ganolfan ymchwil yn ddiogel.'

'Felly beth sy'n digwydd nawr?' rwyt ti'n gofyn.

'Mae hi'n amser mynd adref,' medd y Doctor.

Y DIWEDD

Er mawr syndod i ti, mae'r claf sydd nesaf at y drws yn mynd at y bysellbad ac yn rhoi'r cod mynediad i mewn. Mae'r drws yn dechrau agor.

Mae'r Doctor yn tanio ei sgriwdreifar sonig eto ac mae'r drws yn cau.

Yn chwerthinllyd o anochel, mae'r claf sombi'n codi ei fraich at y bysellbad eto. Unwaith eto mae'r drws yn dechrau agor. Yn anffodus, dydy'r cleifion coma ddim yn gallu cerdded yn ddigon cyflym i fynd i mewn i'r ystafell wydr cyn i'r Doctor gau'r drws eto.

Mae'r sombïaid i gyd yn troi i edrych ar y Doctor.

'Fe alla i wneud hyn drwy'r dydd, chi'n gwybod,' medd ef gan wenu, a dal y sgriwdreifar sonig i fyny.

Mae'r sgriwdreifar sonig yn cael ei chwipio allan o'i law yn sydyn gan chwip electronig las, befriog.

Rwyt ti'n troi ac yn gweld estron mewn gwisg goch â phen esgyrnog yn cydio yn y chwip.

'Y Sycoracs!' medd y Doctor, heb synnu o gwbl. 'Ro'n i'n gwybod y byddech chi fan hyn yn rhywle. Rheoli gwaed ac ati, y math o beth rydych chi'n ei wneud.'

Mae'r estron yn dweud rhywbeth ond mae hi'n amhosibl deall ei iaith e.

Yn sydyn, mae'r claf sombi agosaf yn dechrau siarad ar ei ran.

'Peidiwch ag ymyrryd,' medd y claf.

'O, dyna rywbeth newydd,' medd y Doctor, 'rydych chi'n defnyddio eich pypedau fel cyfieithwyr organig. Da iawn, fe allwn ni siarad nawr.'

'Does gen i ddim byd i'w drafod â'ch rhywogaeth israddol chi,' medd y Sycoracs drwy geg y sombi. 'Peidiwch â sefyll rhyngof i a 'ngwobr,' ychwanega.

Os yw e'n egluro beth yw ei wobr, cer i 10.

Os yw'r Doctor yn dyfalu beth yw ei wobr, cer i 86.

Rwyt ti'n cynnig y sgriwdreifar rwyt ti wedi'i fenthyg o gartref. Pan wnaeth y Doctor dy stopio di yn y stryd a gofyn am help, roeddet ti wedi synnu ac fe gefaist ti fwy o syndod fyth pan aeth e i mewn i'r blwch glas. Ond dim ond y dechrau oedd hynny. Pan roeddet ti wedi camu drwy ddrysau'r "blwch heddlu" (beth bynnag oedd blwch heddlu) sylweddolaist ti dy fod ti mewn ystafell anhygoel o fawr.

'A, gwych,' medd y Doctor, gan gymryd y sgriwdreifar ac yna stopio'n sydyn a gwgu. 'Na, dyw hynny ddim yn iawn. Dwi ddim yn dweud y gair 'na bellach. Sori. O, a dyna un arall. Dwi wedi dweud digon o'r gair 'na hefyd…'

Rwyt ti'n edrych draw ar y ferch bert o'r Alban. Mae hi'n gwenu 'nôl, yn garedig.

'Paid â phoeni,' medd hi wrthot ti, 'fel hyn mae e bob amser. Amy ydw i gyda llaw, a dyna…'

'Y Doctor,' medd y Doctor, gan edrych i fyny o beth bynnag mae e'n ei wneud â dy sgriwdreifar. 'Dwi wedi gwneud hynna'n barod,' ychwanega, gan edrych ar Amy.

'Ac ydych chi wedi egluro am y lle 'ma – y TARDIS?' gofynna hi iddo.

Mae'r Doctor yn edrych yn boenus. 'Dim ond gofyn am fenthyg sgriwdreifar ro'n i, nid adrodd hanes fy mywyd. Neu efallai mai hanesion fy mywydau ddylai hynny fod?'

Mae Amy'n ysgwyd ei phen ac yn dod atat ti. 'Y TARDIS yw hwn,' medd hi wrthot ti, gan chwifio'i llaw fel petai hi'n dangos ei chartref, 'peiriant amser yw e.'

Os wyt ti'n gofyn am fynd 'nôl mewn amser, cer i 97.

Os nad wyt ti'n ei chredu hi, cer i 24.

Rwyt ti'n camu allan drwy ddrysau'r TARDIS. Mae rhan ohonot ti'n meddwl mai rhyw fath o jôc yw hon ac y byddi di 'nôl yn y stryd y daethost ti ohoni, ond rwyt ti'n gweld yn fuan fod y TARDIS yn wir wedi mynd â ti i rywle arall.

'Waw! Un cam bach i ddyn…' rwyt ti'n dweud o dan dy wynt ac yna rwyt ti'n edrych o gwmpas ac yn tewi. Nid y lleuad yw hwn, na phentref canoloesol, na llong ofod yn ddwfn yn y gofod; yn hytrach mae hi'n edrych fel petait ti wedi cyrraedd coridor llwyd, diflas. Mae'n edrych fel adeilad swyddfa, neu'r tu ôl i'r llenni mewn canolfan siopa. Mae 'na fyrddau sgyrtin metelaidd, leino llwyd tenau ar y llawr, ac mae'r waliau o flociau concrid.

Rwyt ti'n sylweddoli bod Amy a'r Doctor wedi dy ddilyn di allan ac yn dechrau edrych o gwmpas.

'A, mae hwn yn edrych yn ddiddorol,' medd y Doctor. Rwyt ti'n gweld ei fod e'n edrych drwy banel gwydr drws sydd â chroes goch gyfarwydd arno.

'Rhyw fath o ganolfan feddygol?' rwyt ti'n awgrymu.

Mae'r Doctor yn nodio. 'Mae hi'n beth da mai Doctor ydw i 'te,' medd ef ac yna mynd i mewn i'r ystafell.

Rwyt ti ac Amy'n dilyn ac yn gweld eich bod chi mewn ward feddygol fach. Mae tua deuddeg o welyau yn yr ystafell a rhywun ym mhob un ohonyn nhw. Mae'r cleifion i gyd yn edrych fel petaen nhw mewn coma dwfn.

'Dydy beth bynnag sydd arnyn nhw ddim yn heintus neu fe fydden nhw'n cael eu cadw ar wahân,' medd y Doctor, 'felly tybed beth sy'n bod arnyn nhw?'

Os yw'r Doctor yn dechrau archwilio un o'r cleifion, cer i 29.

Os yw'r drws yn agor ac mae rhywun yn dod i mewn, cer i 57.

Mae Amy'n curo'i dwylo. 'Hawdd — chi yw'r unig ddau nad aethon nhw i goma. Dim ond y rhai oedd wedi rhoi eu gwaed roedd yr estroniaid yn gallu eu rheoli, yntê? Fel fwdw neu rywbeth.'

'Nid fwdw na hud a lledrith yw e, dim ond gwyddoniaeth, ond rwyt ti'n iawn,' cytuna'r Doctor, 'dyna sut maen nhw'n rheoli'r cleifion ddaeth ar ein holau ni.'

'Ond pwy sy'n eu rheoli nhw?' rwyt ti'n gofyn.

'Mae hynny'n hawdd. Injan llong ofod Math K Traws-System Pob Cyflymdra yw hon.'

'Felly llong ofod yw'r graig 'ma?' gofynna Amy, gan geisio deall yr hyn mae'r Doctor wedi'i ddweud.

'Ac arni hi mae'r criw arferol o fasnachwyr ac ysbeilwyr o'r enw Sycoracs. Maen nhw'n ofergoelus, yn dreisgar ac yn rhyfeddol o gyfriniol hefyd. Ac eto nhw yw un o'r rhywogaethau sydd wedi parhau hiraf yn y bydysawd,' medd y Doctor wrthot ti, 'nhw, a chwilod duon.'

Mae'r Doctor yn sylwi ar rywbeth ar y llawr wrth yr injan ac mae'n plygu i'w godi. Mae'n edrych fel rhyw fath o welyfr. Wrth ei agor, mae sgrin a bysellfwrdd syml yn dod i'r golwg.

'Beth yw hwnna?' rwyt ti'n gofyn.

'PCI, y peth mawr nesaf o ran cyfrifiaduron personol ac mae e'n cael ei lansio yn 2012, felly peidiwch chi'ch dau â difetha pethau a dweud wrth bawb pan ewch chi adref!' medd y Doctor. 'O'r gorau, Marc 3 yw hwn, felly PCI yw'r cod mynediad rhagosodedig.'

Os wyt ti eisiau defnyddio'r cyfrifiadur dy hunan, clicia ar flwch D ar y sgrin a theipio'r gair cod PCI.

Os yw'r Doctor yn teipio'r cod, cer i 27.

Mae'r Doctor yn agor y drws drwy danio ei sgriwdreifar sonig yn sydyn. 'Mae'r clo wedi'i selio,' medd y Doctor o dan ei wynt ac yna mae e'n gwenu. 'Dim ond jôc!' medd ef gan gamu i mewn.

Mae Amy'n troi ei llygaid yn ddig ac yn dal ei llaw i ti gael mynd o'i blaen hi. Ar ôl dy ddilyn di drwy'r drws, mae hi'n ei gau.

Y tu mewn i'r iglw mae lobi gyda drysau lifft sy'n dy atgoffa di o faes parcio aml-lawr. Mae hi'n amlwg nawr fod wal gron yr iglw wedi'i gwneud o nifer o baneli mwy, sydd wedi'u bolltio wrth ei gilydd i ffurfio'r strwythur. Drysau a siafft y lifft yw'r unig beth sydd yn yr ystafell. Does dim arwyddion na labeli o unrhyw fath.

Mae'r Doctor yn gwasgu'r panel rheoli sydd nesaf at y lifft ac, o ryw bellter oddi tanoch chi, mae sŵn hymian yn dechrau. Eiliad neu ddwy'n ddiweddarach mae drysau'r lifft yn agor ac rwyt ti'n gweld caets lifft mawr plaen.

'I lawr?' awgryma'r Doctor, gan neidio'n awyddus i mewn i'r lifft.

'Oes dewis arall?' ateba Amy, wrth i chi fynd at y Doctor yn y lifft.

Cyn gynted ag y mae'r tri ohonoch chi yn y lifft, mae'r drysau'n cau ac rydych chi'n dechrau mynd i lawr. Mae'r Doctor yn dechrau cyfrif yn dawel, a'i wefusau'n symud heb wneud unrhyw sŵn.

'50 metr,' medd ef wrth i'r lifft stopio ar ôl ychydig eiliadau, '50 metr fwy neu lai. Dwfn. Dwfn iawn.'

Os yw'r drysau'n agor yn awtomatig, cer i 26.

Os yw'r drysau'n dal ar gau, cer i 42.

Mae'r Doctor yn gwylio'r ddau Sycoracs yn cylchu ei gilydd, gan ystyried beth i'w wneud nesaf. Yna'n sydyn mae e'n rhedeg allan rhyngddyn nhw, gan estyn ei ddwylo a sgrechian 'Stopiwch!' Er mawr syndod i bawb, maen nhw'n gwneud hynny. Yna mae'r ddau'n chwyrnu'n fygythiol ac yn dangos eu dannedd ar y Doctor.

'Ie, ie,' medd y Doctor, gan geisio peidio â swnio'n rhy ofnus, 'mae e'n edrych yn dda iawn, ond os na allwn ni bwyllo mae rhywun yn mynd i gael niwed difrifol.'

'Wyt ti'n gwirfoddoli, ddyn bach?' gofynna un o Arweinwyr y Sycoracs — yr un sydd â chwip ynni.

Mae'r Doctor yn gwenu'n sydyn ac yn estyn ymlaen i gipio'r chwip o ddwylo'r estron. 'Hei, fi sy biau honna,' cwyna'r estron, wrth i'r Doctor ddawnsio i ffwrdd yn gyflym, gan daflu'r chwip o'r naill law i'r llall.

'Rydych chi'n gallu siarad yn dda iawn,' medd ef wrth y Sycoracs heb chwip, 'ond trueni nad yw Sycoracs go iawn yn defnyddio unrhyw un o ieithoedd y Ddaear. Mae'n amlwg nad Sycoracs ydych chi.' Mae'r Doctor yn troi ac yn taflu'r chwip i ffwrdd cyn troi 'nôl at yr estron ffug.

'Nawr gwrandewch arna i,' medd ef, o ddifrif yn sydyn, 'mae angen i chi roi'r ynni rydych chi wedi'i ddwyn yn ôl. Y cyfan. Yr ynni o'r llong Sycoracs yma a'r stwff gymeroch chi o fy llong i. Llong ofod-amser arbennig iawn yw fy llong i a bydd yr ynni artron ddygoch chi'n eich lladd chi os na wnewch chi ei roi e 'nôl.'

Heb i neb ei weld, mae'r Sycoracs go iawn yn plygu i godi ei chwip.

Os yw'r creadur yn newid 'nôl i'w ffurf naturiol, cer i 72.

Os yw e'n aros yn Sycoracs, cer i 16.

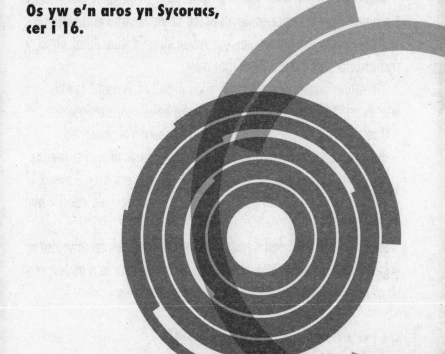

Mae Amy'n curo dy gefn di. 'Ti oedd yn iawn. Mae'r ateb yn union o dan ein trwynau ni,' medd hi wrthot ti.

'Mewn gwirionedd, mae e'n union o dan ein traed ni,' ychwanega'r Doctor.

Mae e wedi mynd ar ei benliniau ac yn crafu'r eira â'i ddwylo, fel ci'n cloddio am asgwrn. Yn sydyn, mae e'n stopio ac yn rhoi ei law yn y twll.

CLANG! Sŵn metel yn atseinio.

Rwyt ti'n camu'n nes ac yn syllu dros ysgwydd y Doctor. Ar waelod y twll yn yr eira mae darn metel.

'Beth yw e?' rwyt ti'n gofyn.

'Dwi ddim yn siŵr eto,' medd y Doctor gan neidio ar ei draed. Mae e'n tynnu'r sgriwdreifar sonig o'i boced ac yn dechrau ei chwifio dros y ddaear. Fflachia golau glas ym mhen draw'r ffon. 'Ond yn ôl y sgriwdreifar sonig, mae e'n eithaf mawr.'

'Does dim llawer nad yw'r peth 'na'n gallu'i wneud,' medd Amy gan wenu, 'heblaw am ddadsgriwio sgriw bengroes, wrth gwrs!'

Mae'r Doctor yn edrych arni'n gas ac mae Amy'n chwerthin.

'Peidiwch ag edrych mor gas, do'n i ddim yn lladd ar y sgriwdreifar.'

'Da iawn, achos mae e newydd ddatrys problem arall,' medd ef wrthi, gan wenu o glust i glust. 'Edrychwch, dwi newydd ddod o hyd i fynedfa.'

Mae'r Doctor wedi dod o hyd i rywbeth sy'n edrych fel iglw eira ar y gwastadedd, ond ar ôl cael gwell golwg arno, mae hi'n amlwg mai rhyw fath o blastig yw e, gyda drws metelaidd.

Os yw'r drws wedi'i gloi, cer i 48.

Os yw'r drws heb ei gloi, cer i 79.

Wrth i ti fynd yn nes at y llong sydd wedi cwympo, rwyt ti'n sylweddoli pa mor fawr yw hi. Mae hi'r un maint â warws bach. Rwyt ti'n gweld rhywbeth a allai fod yn siambr aerglos ac rwyt ti'n galw'r lleill draw.

Mynedfa o ryw fath yw hi, ond does dim sôn am sut i'w hagor.

Mae'r Doctor yn tynnu ei sgriwdreifar sonig allan ac yn ei danio. Mae'r drws yn agor yn araf, gan ddangos y siambr aerglos y tu draw iddo. Ar ôl i'r tri ohonoch chi fynd i mewn, mae'r drws yn cau eto.

'Mae hi'n boeth fan hyn!' meddet ti, gan deimlo braidd yn anghyfforddus.

'Paid â phoeni,' medd y Doctor wrthot ti, 'mae'r siwtiau yma'n rheoli'r tymheredd, maen nhw'n gallu dy gadw di'n oer yn ogystal ag yn gynnes.' Mae e'n symud y botymau ar flaen dy siwt ac rwyt ti'n teimlo'n llawer mwy cyfforddus yn syth.

'Wyt ti wedi sylwi ar unrhyw beth?' gofynna'r Doctor, wrth iddo symud y botymau ar siwt Amy hefyd.

'Ei bod hi'n boeth fan hyn?' atebi di.

'Rhywbeth fel'na.' Mae'r Doctor yn agor drws mewnol y siambr aerglos. Y tu draw i'r drws mae cyntedd bach, gyda dau goridor yn arwain oddi wrtho, un i'r chwith ac un i'r dde. 'Mae hi'n gynnes fan hyn oherwydd bod y cynhaliwr bywyd yn gweithio. A'r siambr aerglos hefyd. A'r goleuadau…'

Rwyt ti'n sylweddoli ystyr hyn. 'Mae'r pŵer yn gweithio!'

'Felly dydy'r llong yma ddim wedi colli ei phŵer,' ychwanega Amy.

Os ydych chi'n mynd i'r chwith, cer i 37.

Os ydych chi'n mynd i'r dde, cer i 77.

Yn sydyn, rwyt ti'n troi i'r chwith ac yn gweld bod y siafft yn mynd i lawr oddi tanat ti, wrth iddi fynd yn fertigol yn lle bod yn llorweddol. Drwy lwc, mae'r siafft yn mynd yn wastad unwaith eto, cyn troi a phlygu fel llithren pwll nofio. Rwyt ti'n gwibio ar hyd-ddi, yn cael dy yrru ymlaen o hyd ar ôl i ti gwympo, a bownsio yn erbyn ymylon metel esmwyth y siafft.

O'r diwedd, mae'r siafft yn dod i ben ac rwyt ti'n gwibio allan ohoni ac yn glanio ar rywbeth meddal.

'Aw!' Dydy Amy ddim yn hapus. Rwyt ti wedi glanio arni.

'Glou! Allan o'r ffordd!' rwyt ti'n dweud wrthi ac mae'r ddau ohonoch chi'n rholio i un ochr jest mewn pryd, wrth i'r Doctor, eiliad yn ddiweddarach, saethu allan o ben y biben ond, yn wahanol i ti ac Amy, mae e'n llwyddo i lanio ar ei draed rywsut. Mae e'n twtio ei dei bo ac yn symud y gwallt o'i dalcen.

'Roedd hynna'n hwyl,' medd ef o dan ei wynt. 'Nawr ble rydyn ni?'

'Rydych chi wedi cyrraedd jest mewn pryd i fy ngweld i'n gorffen y sioe 'ma,' medd llais electronig cyfarwydd.

Rwyt ti ac Amy'n codi ar eich traed. Rydych chi mewn ystafell fawr, eithaf tywyll, sydd fwy neu lai'n wag. Mae'r Rhyfelwr Sycoracs yma ac mae e'n sefyll dros rywbeth sy'n edrych fel pwll nofio mawr wedi'i lenwi ag aer, sy'n llawn blymonj pinc.

Wedyn, rwyt ti'n sylweddoli bod y sylwedd pinc yn symud ac yn newid ei siâp – mae e fel petai'n fyw.

Mae'r Doctor yn rhuthro draw. Mae'r Sycoracs yn codi ei chwip, yn barod i ymosod ar y creadur pinc.

Os yw'r Doctor yn ei atal mewn pryd, cer i 35.

Os nad yw'r Doctor yn ei gyrraedd mewn pryd, cer i 67.

Cyn hir, mae'r tri ohonoch chi'n taflu peli eira at eich gilydd, a phawb yn chwerthin ac yn gwenu.

Rwyt ti'n llwyddo i daro'r Doctor ac Amy â phelen eira enfawr ac rwyt ti'n gweld yn sydyn bod y ddau ohonyn nhw'n rhedeg ar dy ôl. Mae'r esgidiau eira sy'n mynd gyda'r siwtiau'n fawr ac yn anghyfforddus ond maen nhw'n cydio'n dda yn arwyneb yr eira a chyn hir, rwyt ti'n mynd yn bellach oddi wrth y ddau sy'n dy ddilyn. Rwyt ti'n edrych 'nôl i weld ble maen nhw ac rwyt ti'n synnu o weld eu bod nhw wedi stopio.

Rwyt ti'n edrych 'nôl i weld ble rwyt ti'n mynd ac yn sgidio i stop yn sydyn. Mae rhywbeth rhyfedd iawn o'th flaen di. Am eiliad, mae e'n edrych fel mynydd yng nghanol yr eira ond does dim plu eira o gwbl ar unrhyw un o arwynebau creigiog y peth. Mewn gwirionedd, os rhywbeth, mae e'n edrych braidd yn boeth. O gwmpas ei waelod, mae pyllau o ddŵr wedi ymddangos ac wrth i ti estyn dy law at yr arwyneb creigiog, rwyt ti'n gallu teimlo'r gwres sy'n codi oddi wrtho.

Mae'r Doctor ac Amy wedi dod atat ti nawr, a phawb wedi anghofio am daflu peli eira.

'Beth yw e?' rwyt ti'n gofyn iddyn nhw.

Mae Amy'n ysgwyd ei phen. 'Yn union fel mae e'n edrych – craig enfawr.'

Dydy'r Doctor ddim yn cytuno. 'Dyw e ddim yn perthyn fan hyn o gwbl. Rhywbeth estron yw e.'

'Ddaeth rhywun ag e fan hyn o rywle arall?' rwyt ti'n gofyn.

'Yr hyn dwi'n ei olygu yw bod rhywun wedi gwneud iddo gwympo fan hyn,' medd y Doctor wrthot ti.

Os wyt ti'n clywed llais newydd, cer i 17.

Os yw'r Doctor yn egluro beth yw'r graig, cer i 68.

Rwyt ti'n troi i'r dde ac yn dal i gropian ar dy bedwar. Heb rybudd, mae'r siafft yn mynd i lawr yn sydyn ac rwyt ti'n dechrau syrthio. Eiliad yn ddiweddarach rwyt ti'n syrthio allan o ben y siafft ac yn cwympo i mewn i ystafell arall. Drwy lwc, rwyt ti'n glanio ar bentwr o fagiau plastig sy'n llawn o rywbeth meddal.

'Reis yw e,' medd Amy wrthot ti. 'Dwi'n credu ein bod ni mewn storfa.'

Rydych chi'n symud oddi ar y bagiau reis yn gyflym, jest mewn pryd cyn i'r Doctor wibio allan o'r biben. Mae ei ddwylo wedi'u croesi ar ei frest ac mae ei draed yn syth allan o'i flaen, yn union fel rhywun ar lithren ddŵr mewn parc antur. Mae e'n bownsio ddwywaith ar ei ben-ôl ac yna'n dod oddi ar y bagiau reis fel mabolgampwr.

'Beth am hwnna 'te?' gofynna, wrth iddo ddod i stop.

'Deg marc am y dull, naw marc am yr arddull,' medd Amy wrtho.

'Ble rydyn ni?' rwyt ti'n gofyn.

Mae'r Doctor yn edrych o gwmpas yn sydyn. 'Yr islawr – storfa fwyd… tybed beth arall maen nhw'n ei gadw i lawr fan hyn?'

Arweinia'r Doctor y ffordd at ddrws a defnyddio'i sgriwdreifar i'w agor.

Mae'r ystafell nesaf hyd yn oed yn fwy, ac yn eithaf tywyll. Yn ei chanol, mae 'na rywbeth mawr — cynhwysydd crwn tua deg metr o led a tua metr o daldra — sy'n dy atgoffa o le i gadw pengwiniaid mewn sw.

Os wyt ti'n penderfynu ‹ael gwell golwg arno, ‹er i 70.

Os yw Amy'n mynd i gael gwell golwg arno, ‹er i 7.

Mae Amy'n arwain y ffordd ac mewn dim o dro, rydych chi 'nôl yng nghaets y lifft, a hwnnw'n codi'r tro hwn, gan fynd yn ôl i gyntedd yr iglw lle gadawoch chi'r dillad tywydd oer uwchdechnoleg y daeth y Doctor o hyd iddyn nhw yn y TARDIS. Cyn hir, rwyt ti wedi gwisgo'r oferôls tenau ond effeithiol a'r esgidiau eira enfawr ac rwyt ti'n barod i gamu allan unwaith eto i eira'r Antarctig.

Ar ôl cyrraedd y tu allan, rwyt ti'n gweld ei bod hi wedi bod yn bwrw eira eto ac mae'r eira newydd yn dechrau llenwi'r pantiau sy'n dangos lle roedd llong Asteroid y Sycoracs wedi syrthio.

'Dyna nhw'n mynd,' medd y Doctor, gan edrych i fyny i'r awyr, ond dwyt ti ddim yn gallu gweld pa un o'r holl sêr yw llong y Sycoracs.

'Mae 'na gymaint o sêr,' meddet ti.

'Dim ond y rhai rwyt ti'n gallu'u gweld ydyn nhw,' medd y Doctor wrthot ti.

'Edrychwch, y llong ofod!' gwaedda Amy.

Rwyt ti'n troi i'r cyfeiriad lle mae hi'n pwyntio. Mae'r TARDIS wedi'i oleuo ac mae'n ymddangos yn fwy llachar nag erioed.

'Mae hi'n edrych fel petai'r pŵer yn gweithio eto,' medd y Doctor gan gamu'n fras tuag at ei long.

Rwyt ti'n edrych draw ar Amy. 'Un peth bach cyn i ni fynd… mae hi'n drueni gwastraffu'r holl eira 'ma. Allwn ni ddim chwarae am dipyn bach?'

Mae Amy'n gwenu.

Hanner awr yn ddiweddarach, mae hi'n amser i chi fynd o'r diwedd. Wrth i'r TARDIS ddiflannu o'r golwg ar wastadedd yr Antarctig, rydych chi'n gadael un dyn eira gwych, wedi'i wisgo mewn ambell beth o ystafell wisgo ryfeddol y Doctor: het ffelt fawr a sgarff liwgar anferthol o hir.

Y DIWEDD

Mae'r Doctor yn rhoi'r ffigurau "000" i mewn i'r bysellbad rhifau a daw sŵn mawr trwm wrth i'r clo gael ei ryddhau. Yn araf, mae'r drws yn llithro ar agor.

Mae'r Doctor yn arwain y ffordd i mewn i'r ystafell ac rwyt ti ac Amy'n brysio ar ei ôl. Rwyt ti'n synnu o weld ei bod hi'n dywyll yn yr ystafell, heblaw am lamp hir las sy'n hongian yn isel dros yr unig ddarn sylweddol o ddodrefn, sef bwrdd labordy hir.

Ar y bwrdd mae rhywbeth sy'n edrych fel tegan plentyn i ddechrau. Mae e'n cynnwys ffrâm wedi'i hadeiladu o sgaffaldiau bach, a gwifrau, lensys ac offer arall wedi'u rhoi'n sownd wrthi. Yn y canol, mae platfform crwn wedi'i godi. Uwchben y platfform, mae rhywbeth sy'n edrych fel swigen sebon yn hofran, wedi'i dal gan rymoedd anweledig. Yng nghanol y swigen sebon, sydd tua thri centimetr ar draws, rwyt ti'n gallu gweld goleuadau pitw bach llachar a niwl llwydlas sy'n chwyrlïo.

Mae'r Doctor yn cael gwell golwg arno.

Rwyt ti ac Amy'n edrych ar eich gilydd yn ddryslyd.

'Mae hyn yn anghredadwy,' anadla'r Doctor, gan syllu mor agos ar y swigen sebon fel bod ei lygaid yn dechrau croesi.

'Mae e'n hardd iawn, ond beth yw e?'

'Mae e'n rhywbeth cwbl amhosibl, yn un peth,' medd y Doctor wrthot ti. 'Microfydysawd yw e. Rhan fach o fydysawd arall wedi'i dal mewn maes statis. Dim rhyfedd i'r ynni gael ei sugno. Mae angen pŵer anferthol i gynnal hwn.'

'Ydy e'n beryglus?' gofynna Amy.

Os yw'r Doctor yn ateb cwestiwn Amy, cer i 5.

Os yw Nyrs Cathleen yn sgrechian, cer i 61.

Cyn i'r Doctor gael gwell golwg ar un o'r cleifion, mae drws ym mhen pellaf y ward yn agor ac mae menyw ifanc yn rhuthro i mewn i'r ystafell.

'O, diolch byth,' medd hi, gan weld y tri ohonoch chi'n sefyll yna. 'Pa un ohonoch chi yw'r Doctor?'

Gan guddio ei syndod, mae'r Doctor yn dweud wrth y fenyw mai ef yw'r Doctor cyn mynd ati i gyflwyno Amy a tithau.

Mae'r fenyw, sy'n cyflwyno ei hunan fel Cathleen Murphy, nyrs dan hyfforddiant, yn edrych yn falch o'u gweld nhw. 'Fe ddwedodd y ganolfan reoli efallai na fyddai'r meddyg dros dro a'i dîm gyda ni am rai dyddiau. Mae'n rhaid bod y stormydd eira wedi gostegu.'

'Ai chi sy'n rheoli yma?' gofynna Amy.

'Ie, nawr,' cyfaddefa Cathleen. 'Mae Doctor Williams a Doctor Kashta draw fan'na,' medd hi, gan gyfeirio at ddau o'r cleifion, 'ac mae Nyrs Staff Pryor a Nyrs Cato yn y ddau wely yma,' ychwanega, gan ddangos dau o'r gwelyau ar ochr arall yr ystafell.

'Felly mae pob un o'r uwch-dîm meddygol wedi cael yr un salwch. Ddylen nhw gael eu cadw ar wahân?' rwyt ti'n gofyn.

'Efallai y dylech chi ddarllen y ffeiliau,' awgryma Cathleen. 'Maen nhw ar-lein ond efallai fod rhai problemau gyda'r data.' Mae hi'n mynd â ti at gyfrifiadur. 'Teipiwch enw un o'r cleifion,' medd hi.

Os wyt ti'n gallu mynd ar gyfrifiadur, clicia ar flwch F ar y sgrin a theipio'r gair cod WILLIAMS.

Os nad wyt ti'n gallu mynd ar gyfrifiadur, cer i 73.

Heb oedi, mae'r Doctor yn camu allan ac yn sefyll rhwng y ddau wrthwynebydd. 'Stopiwch!' gwaedda, gan estyn ei ddwylo ar led. Mae'r ddau Sycoracs yn dangos eu dannedd ar yr un pryd ac yn chwyrnu'n isel. 'O, da iawn,' medd y Doctor. 'Dynwarediad ardderchog, rhaid dweud — ond os na chadwch chi draw, mae rhywun yn mynd i gael niwed.'

Mae un o Arweinwyr y Sycoracs — yr un sy'n dal chwip ynni yn ei law — yn chwerthin. 'A ti fydd hwnnw, ddyn bach!' medd ef, gan godi'r chwip.

'Fe ga i honna, diolch yn fawr,' medd y Doctor, gan dynnu ei sgriwdreifar sonig allan a'i ddefnyddio i fynd â'r chwip o ddwylo'r estron. Mae'r Doctor yn cydio yn nolen ledr y chwip ac, er mawr syndod i ti, mae'n ei rhoi i'r Sycoracs arall. 'Chi biau hon, dwi'n credu, fe aeth ein ffrind ni fan hyn â hi, a'ch hunaniaeth chi hefyd.'

Mae'r Sycoracs sydd newydd dderbyn y chwip yn nodio i gydnabod hyn wrth i'r Doctor droi 'nôl i wynebu'r twyllwr sydd heb unrhyw arf erbyn hyn.

'Mae'n rhaid i chi roi'r gorau iddi nawr,' medd y Doctor wrth y newidiwr siâp. 'Fe gymeroch chi ormod o ynni, llawer gormod. Rhowch e 'nôl cyn iddo eich llosgi chi. Nid ynni arferol yw'r ynni aethoch chi ag e o'm llong ofod-amser i, ond ynni amser. Os na wnewch chi ei anfon e 'nôl, fe fydd e'n eich lladd chi. Credwch fi, dwi'n gwybod.'

Os yw'r creadur yn newid 'nôl i'w ffurf naturiol, cer i 72.

Os yw e'n aros yn Sycoracs, cer i 16.

59

Mae Amy'n edrych arnat ti ac yn codi ei hysgwyddau. 'Dydw i ddim wir yn arbenigwr,' mae hi'n dweud wrthot ti. 'Dim ond ar gwpwl o deithiau dwi wedi bod yn y peth 'ma fy hunan!'

Mae'r Doctor yn symud yn bwrpasol o gwmpas y consol, gan ddarllen y mesuryddion a symud ambell switsh gyda grym penderfyniad.

'Mae hyn yn hollol wirion,' medd ef o dan ei wynt. 'Ry'n ni'n colli'r pŵer i gyd.'

'Beth rydych chi'n ei feddwl?' meddet ti.

Dim ond edrych arnat ti â'i lygaid yn fawr mae'r Doctor, a'i wallt yn syrthio dros ei dalcen eto. 'Mae'n union fel petai rhywbeth yn sugno pob dafn o ynni allan o'r TARDIS.'

'Fel gwasgu sudd o lemwn?' awgryma Amy.

'Ond ddylai dim byd allu tarfu ar systemau'r TARDIS fel'na. Allai ddim hyd yn oed holl luoedd –'

'Genghis Khan ddod drwy'r drysau 'na,' mae Amy'n gorffen y frawddeg ar ei ran. 'Fe ddwedoch chi hynny o'r blaen.'

'Fe fydd angen llinell newydd arna i,' medd y Doctor, gan droi 'nôl at y rheolyddion. 'O'r gorau, daliwch yn dynn eich dau, efallai bydd hyn braidd yn anodd. Materoli Argyfwng...'

Tynna'r Doctor lifer i lawr ac mae traw injans y TARDIS yn newid yn syth. Mae'r sŵn ochneidio fel trwmped a glywaist ti o'r blaen yn llenwi'r awyr, ond y tro hwn mae'n swnio fel petai o dan straen, yn llawn poen.

Mae'r llawr yn dirgrynu, yn siglo, ac mae'n rhaid i ti ac Amy gydio'n dynn mewn piler i aros ar eich traed.

Yn sydyn, daw sŵn taran ddofn ac mae popeth yn dawel. Eiliad yn ddiweddarach, mae'r goleuadau'n dechrau pylu.

'O daro,' medd y Doctor o dan ei wynt.

Os yw Amy'n rhedeg at y drws, cer i 28.

Os yw'r Doctor yn rhedeg at y drws, cer i 60.

Mae'r Doctor yn rhedeg at y drws ac yn ei agor.

'Aros fan hyn,' medd ef wrthoch chi a diflannu.

Rwyt ti ac Amy'n cael eich gadael yn edrych ar eich gilydd yn yr ystafell reoli sy'n tywyllu'n gyflym. Mae'r goleuadau bron â phylu'n llwyr nawr ac mae'r consol ei hun yn edrych yn eithaf marw a difywyd.

'Efallai fod eisiau tanc newydd o danwydd arno fe, dyna i gyd,' meddet ti.

Mae Amy'n gwenu ond rwyt ti'n gallu gweld ei bod hi'n poeni.

'Dwi ddim yn credu ei fod e'n cymryd tanwydd di-blwm,' medd hi wrthot ti.

Er mawr rhyddhad i ti, mae'r drws yn agor eto ac mae'r Doctor yn dod i'r golwg.

'Beth sydd allan 'na?' rwyt ti'n gofyn.

'Ble rydyn ni wedi glanio 'te?' gofynna Amy.

'Ydy hi'n ddiogel?' rwyt ti'n holi.

Mae'r Doctor yn aros, yn cau ac yn agor ei lygaid ac yna'n ateb. 'Gan ateb y cwestiwn olaf yn gyntaf, dwn i ddim, dwn i ddim, a rhyw fath o ganolfan.'

Rwyt ti'n oedi am eiliad, gan ailadrodd y cwestiynau yn dy feddwl a rhoi atebion y Doctor wrth y cwestiynau cywir. Mae Amy'n gynt na ti am wneud hyn.

'Pa fath o ganolfan?' gofynna hi. 'Canolfan ar y lleuad, canolfan yn ddwfn yn y môr, canolfan siopa?'

Mae'r Doctor yn codi ei ysgwyddau. 'Rhyw fath o le hunangynhaliol, wedi'i adeiladu ar gyfer pethau ar ffurf ddynol – pobl, siŵr o fod.

Mae'r aer wedi'i ailgylchu, mae'n amlwg; rydych chi'n gallu ei flasu fe. Felly fe allai'r ganolfan fod yn unrhyw le ond mae'n debygol ei bod hi mewn rhyw fath o amgylchedd anodd. Mae'r disgyrchiant yn teimlo fel disgyrchiant arferol y Ddaear, ond mae hynny'n rhywbeth cyffredin.'

'Felly efallai mai planed arall yw hi?' meddet ti.

'Ond mae'n fwy tebygol mai'r Ddaear yw hi, ie?' medd Amy.

Mae'r Doctor yn gwenu. 'Dim ond un ffordd sydd 'na o ddod o hyd i'r ateb.'

Os yw'r Doctor yn arwain y ffordd allan, cer i 13.

Os wyt ti'n arwain y ffordd allan, cer i 46.

Mae'r sgrech yn uchel ac yn llawn ofn. Bron yn syth, rydych chi i gyd yn rhedeg 'nôl drwy'r drws llithro sy'n dal ar agor, i weld beth sy'n codi cymaint o ofn ar Cathleen.

Cyn gynted ag yr ydych chi'n cyrraedd at ymyl y ciwb gwydr, rydych chi'n llithro i stop. Mae'r cleifion coma wedi cyrraedd ac mae criw ohonyn nhw wedi llwyddo i gornelu Cathleen druan.

'Helpwch fi – gwnewch rywbeth!' gwaedda hi, wedi'i rhewi gan ofn.

'Peidiwch â mynd i banig,' awgryma'r Doctor.

'Mae'n hawdd i chi siarad!' sgrechia Cathleen 'nôl arno.

'Arhoswch yn llonydd,' medd ef. 'Wnân nhw ddim drwg i chi.'

Mae Cathleen yn aros yn llonydd, gan gnoi ei gwefus a chau ei llygaid. Rwyt ti'n gweld ei bod hi wedi croesi ei bysedd.

Mae'r cleifion yn stopio symud hefyd. Mae Cathleen yn mentro agor un llygad.

'Eisiau i chi gadw draw maen nhw, dyna i gyd,' medd y Doctor.

Mae ychydig yn rhagor o'r cleifion sombi wedi symud fel nad ydych chi'n gallu dianc chwaith. Mae'r tri ohonoch chi'n cael eich gwthio 'nôl i gornel arall o'r ystafell.

'Cadw draw rhag beth?' gofynna Amy.

'Dwn i ddim,' cyfaddefa'r Doctor, 'ond dwi'n credu ein bod ni'n mynd i gael gwybod nawr.'

Mae rhagor o'r sombïaid yn symud tuag at yr ystafell wydr.

'A,' sibryda'r Doctor ac yn sydyn, mae e'n tynnu ei sgriwdreifar sonig allan. Mae e'n ei bwyntio at y drws, ac mae hwnnw'n ymateb drwy lithro'n araf 'nôl i'w le cyn i unrhyw un o'r cleifion sy'n cael eu rheoli o bell allu dod i mewn.

Os yw'r sombïaid yn defnyddio'r bysellbad, cer i 44.

Os oes cymeriad newydd yn ymddangos, cer i 78.

'Dim ond un ffordd sydd 'na o wybod yn iawn,' medd Amy â golwg benderfynol yn ei llygaid. 'Dewch, mae'r un olaf allan yn gachgi.'

Ar hynny, mae hi'n diflannu i'r gwynder sydd i'w weld drwy ddrws cilagored y TARDIS. Rwyt ti'n edrych 'nôl ar y Doctor sy'n edrych o gwmpas yr ystafell â golwg drist ar ei wyneb.

'Paid â phoeni,' sibryda. 'Fe fydd popeth yn iawn eto mewn dim o dro.'

'Does dim byd yn bod arna i,' rwyt ti'n mynnu.

'Siarad â'r llong ofod ro'n i,' medd y Doctor wrthot ti ac estyn ei fraich i ti gael mynd drwy'r drws.

Rwyt ti'n camu allan i fyd gwyn. Mae eira a rhew ym mhobman.

'Cadw dy ben i lawr!' sgrechia llais cyfarwydd ac yn reddfol, rwyt ti'n gwneud hynny. Eiliad yn ddiweddarach, mae rhywbeth cyflym a gwyn yn hedfan dros dy ben di.

BANG! Rwyt ti'n edrych i fyny ac yn gweld bod pelen eira newydd ffrwydro ar ddrws y TARDIS wrth iddo gau. Mae cawod o eira'n cwympo dros y Doctor.

'Hei!' Am eiliad, rwyt ti'n meddwl bod y Doctor yn grac ac efallai wedi'i anafu, hyd yn oed. Mae e yn ei blyg. Ydy e mewn poen?

'Doctor?' Mae Amy'n dod i'r golwg drwy'r eira ac yn mynd gam neu ddau'n nes at y TARDIS.

Yn sydyn, mae'r Doctor yn neidio i fyny ac yn taflu dwy belen eira ar yr un pryd, un o bob llaw. Mae'r peli eira'n codi fel dau fwa i'r awyr oer ac yna'n bwrw ei gilydd, yn union uwchben Amy, sy'n cael ei gorchuddio gan eira.

Os ydych chi'n dechrau taflu peli eira, cer i 53.

Os ydych chi'n gweld llong ofod arall, cer i 92.

Mae'r Sycorac yn anwybyddu'r Doctor yn llwyr ac yn camu allan drwy'r drws. Eiliad yn ddiweddarach, mae 'na fflach o ynni a ffrwydrad bach yn y coridor. Rwyt ti'n rhuthro at y drws i edrych allan, ond mae'r gwydr wedi troi'n ddu. Rwyt ti'n gwasgu dy fys ar reolydd y drws ond does dim byd yn digwydd.

'Mae e wedi ein cloi ni i mewn,' rwyt ti'n dweud wrth y lleill. 'Dwi'n credu ei fod e wedi torri'r drws!'

Mae Amy'n ochneidio. 'Felly rydyn ni'n sownd!'

Dydy'r Doctor ddim yn derbyn hyn. 'Yn sownd? Oherwydd drws wedi'i gau? Paid â thynnu 'nghoes i.'

Mae'r Doctor yn dechrau tynnu dodrefn draw o'r waliau. 'Edrychwch dros bob rhan o'r wal,' awgryma, 'mae'n rhaid bod allanfa arall.'

Gyda'r Doctor, rwyt ti ac Amy'n archwilio waliau a llawr yr ystafell yn fanwl. O'r diwedd, rydych chi'n rhoi'r ffidl yn y to.

'Does dim yn tycio,' meddet ti, 'does dim allanfa arall.'

Mae'r Doctor yn ysgwyd ei ben. 'Mae 'na allanfa arall bob amser. Rydyn ni'n anadlu, on'd ydyn ni? Felly mae'n rhaid bod...'

'Siafft awyru?' awgryma Amy. Mae hi'n gwenu arnat ti. 'Mae hyn fel ffilm!'

'Yn union, ond ble mae'r fynedfa i'r siafft?' Mae'r Doctor yn edrych dros yr ystafell eto ac yna mae e'n ei gweld hi; dellt awyru sy'n union uwchben y drws. Mae e'n cydio mewn bwrdd ac yn ei wthio draw at y drws. Rydych chi i gyd yn dringo i fyny ar y bwrdd er mwyn cael gwell golwg, ac yn gweld mai sgriwiau sy'n cadw'r ddellt yn ei lle.

Os yw'r sgriwdreifar sonig yn gallu eu tynnu nhw'n rhydd, cer i 22.

Os nad yw'r sgriwdreifar sonig yn gallu eu tynnu nhw'n rhydd, cer i 8.

Mae'r Doctor yn cydio yn y cyfrifiadur bach ac yn dechrau teipio'n wyllt. Rwyt ti'n gofyn iddo beth mae e'n ei wneud, ond mae e'n rhy brysur i ateb.

'Archebu pitsa mae e, siŵr o fod,' medd Amy, gan geisio codi hwyliau pawb.

'Dwi'n casáu pitsa,' medd y Doctor o dan ei wynt gan deipio'r un mor gyflym o hyd.

Mae e'n edrych i fyny arnat ti ac yn wincio. 'O'r gorau, fe ddylai hynny adael i mi gael mynediad llawn i synwyryddion mewnol llong y Sycoracs. Nawr dwi'n gallu gweld os galla i ddod o hyd i lofnod ynni'r creadur…'

Mae map tri dimensiwn o long Asteroid y Sycoracs yn ymddangos ar y sgrin, gyda golau bach llachar yn dangos lle mae'r creadur. 'Dyna fe,' cyhoedda'r Doctor. Mae e'n syllu'n graff ar y sgrin am eiliad ac yna'n cau'r clawr yn glep ac yn dechrau cerdded ar frys tuag at un o'r llwybrau agosaf allan o'r siambr.

'Does dim angen y map hwn arnoch chi 'te?' rwyt ti'n gofyn iddo.

Mae e'n pwyntio at ei dalcen yn hyderus. 'Mae'r cyfan lan fan hyn,' medd ef wrthot ti.

Rwyt ti ac Amy'n rhedeg er mwyn dal i fyny ag ef. Wrth i chi symud o'r man gwag lle roedd yr injan, rydych chi'n gweld eich bod chi mewn twneli sydd hyd yn oed yn llai. 'Mae'r Sycoracs yn defnyddio creaduriaid o'r enw Gagriniaid i wneud y llongau hyn, wyddoch chi,' medd y Doctor wrthoch chi. 'Maen nhw fel rhinoserosod bach sy'n bwyta'r graig.'

'Mae hi fel drysfa fan hyn,' meddet ti, wrth i'r llwybrau fynd yn gulach ac yn dywyllach. Oni bai am olau gwyrdd pŵl y sgriwdreifar sonig, fe fyddai hi'n dywyll fel bol buwch.

Mae'r Doctor yn diflannu o gwmpas cornel.

Cer i 99.

Rwyt ti'n mynd draw i gysuro'r Doctor, ond mae e wedi codi ar ei draed yn barod.

'Dere 'te,' awgryma ef, 'mae llawer i'w ddatrys o hyd.'

Dros yr awr neu ddwy nesaf, mae pethau'n mynd 'nôl i'r arfer yn y ganolfan. Mae Cathleen, sydd ddim yn nyrs dan hyfforddiant bellach ar ôl cael dyrchafiad gan bennaeth y ganolfan, yn brysur yn gwneud yn siŵr fod pob un o'r rhai sy'n gwella ar ôl bod mewn coma yn barod i fynd i weithio eto.

Yn y cyfamser, mae'r Doctor yn gwneud ambell addasiad i long ofod y Sycoracs, gan leihau pŵer yr injans a'u niwtraleiddio a dileu craidd y cyfrifiadur, er mawr siom i Yasin. 'Does dim "spoilers",' medd y Doctor wrtho i egluro pam.

Rwyt ti ac Amy'n gweld eich bod chi o dan draed braidd ac rydych chi'n sleifio allan i chwarae yn yr eira. Rydych chi'n benthyg dillad tywydd oer y ganolfan ac yn treulio hanner awr hapus yn taflu peli eira ac yn gwneud y dyn eira gorau erioed.

Ond o'r diwedd, mae hi'n bryd i chi fynd i mewn ac mae'r Doctor yn disgwyl amdanoch chi yno.

'Dwi'n credu ei bod hi'n amser i ni fynd,' medd y Doctor. 'Mae pobl yn dechrau gofyn cwestiynau lletchwith am bwy ydyn ni ac o ble rydyn ni wedi dod.'

Wrth i chi adael yr ystafelloedd newid, rwyt ti'n sylwi ar rywbeth amhosibl; dy enw di ar y drws.

'Sut mae hynny'n bosibl?' rwyt ti'n gofyn.

Mae'r Doctor yn edrych ac yn gwenu. 'Y flwyddyn 2024 yw hi,' medd ef wrthot ti. 'Efallai dy fod ti newydd gael cip ar dy ddyfodol di...'

Y DIWEDD

66

'Cloch y Clwysty yw honna,' medd y Doctor wrthot ti. 'Hi yw'r larwm olaf un; dim ond pan fydd pethau'n hynod, hynod o wael mae hi'n canu.'

'Pa bethau?' rwyt ti'n gofyn yn nerfus.

Mae'r Doctor yn codi ei freichiau i'r awyr ac yn troi o gwmpas.

'Popeth,' medd ef wrthot ti, gan edrych yn fwy na phryderus ei hunan. 'Mae pob system wedi methu. Mae'r TARDIS yn marw.'

Mae Amy'n camu tuag ato. 'Beth rydych chi'n ei feddwl? Yn marw?'

Mae'r Doctor yn rhedeg o gwmpas y consol nawr, gan edrych ar y mesuryddion ac yn rhedeg dwylo nerfus drwy ei wallt wrth siarad â'i hunan o dan ei wynt. Dydy e ddim fel petai e'n sylwi arnat ti ac Amy.

'Doctor!' Mae Amy'n cydio yn ei ysgwydd ac mae e'n troi ar ei sawdl.

'Mae fy llong i'n marw!' gwaedda ef arni hi. 'Mae ei banciau ynni'n cael eu sugno. Mae'n amhosibl, ond mae'r peth yn digwydd.'

Mae'n troi 'nôl at y consol.

'Dim ond un peth gallwn ni ei wneud nawr,' cyhoedda'r Doctor. 'Daliwch yn dynn. Paratowch at Fateroli Argyfwng.' Mae'r Doctor yn tynnu lifer ar y consol ag un llaw ac rwyt ti'n sylwi bod ei law arall y tu ôl i'w gefn a'i fysedd wedi'u croesi.

Daw sŵn taran fawr ac yna mae popeth yn dawel.

'Ydyn ni wedi glanio?' gofynna Amy.

'Dwn i ddim, beth am i ni weld,' ateba'r Doctor gan danio sganiwr o'r consol. Mae'r sgrin yn dangos fflach o olau ac yna'n mynd yn dywyll. Ar yr un pryd, mae'r goleuadau'n dechrau pylu.

Os yw Amy'n rhedeg at y drws, cer i 28.

Os yw'r Doctor yn rhedeg at y drws, cer i 60.

Mae'r Doctor yn ceisio atal y Rhyfelwr Sycorac rhag defnyddio'i arf ond dim ond gwthio heibio i'r Arglwydd Amser mae'r creadur anferthol a tharo'i chwip ar arwyneb yr estron hylifol yn y cynhwysydd crwn.

Daw fflach sydyn o ynni sy'n goleuo'r ystafell fel tân gwyllt ac yna mae'r chwip yn cwympo'n farw i'r llawr, wrth i'r Rhyfelwr Sycorac droi'n llwch.

'Beth ddigwyddodd?' rwyt ti'n gofyn.

Mae'r Doctor yn gwthio'i law drwy ei wallt ac yn ochneidio'n drist. 'Rhywbeth digon tebyg i'r hyn ddigwyddodd i griw'r ganolfan hon. Teithiwr gofod addfwyn o'r enw Erali yw hon, druan.'

'Addfwyn?' medd Amy eto. 'Mae hi newydd ladd y Sycorac.'

'Er mwyn ei hamddiffyn ei hunan,' eglura'r Doctor. 'Yn union fel y criw yma. Fe syrthiodd yr Erali i'r Ddaear ar goll, ar lwgu ac yn ofnus, ac fe ddaeth gwyddonwyr y ganolfan 'ma o hyd iddi, ei charcharu hi a gwneud arbrofion arni. Roedden nhw'n haeddu popeth ddigwyddodd iddyn nhw.'

Rwyt ti'n edrych ar y creadur gan deimlo cymysgedd o ofn a thrueni. 'Felly beth sy'n digwydd nawr?'

'Mae'r Erali'n nofio rhwng y planedau yng ngwactod y gofod. Yn aml, maen nhw'n mynd am gannoedd neu filoedd o flynyddoedd rhwng prydau bwyd, felly maen nhw wedi datblygu'r gallu i storio ynni aruthrol. Y gallu 'na i storio ynni roedd y gwyddonwyr yma eisiau ei ddeall.'

'Felly batris byw ydyn nhw?' rwyt ti'n awgrymu.

Mae'r Doctor yn nodio. 'Y drafferth yw, pan ddaeth llong y Sycorac a'r TARDIS heibio o fewn cyrraedd, fe gafodd yr Erali ormod o bwdin… Nawr mae hi'n dioddef o'r pwl gwaethaf o wynt yn hanes y bydysawd.'

'Ond oes unrhyw ffordd o gael yr ynni 'nôl oddi wrth yr Erali 'ma?' gofynna Amy.

Mae'r Doctor yn gwgu ac yna'n nodio. 'Dwi'n meddwl bod 'na ffordd o wneud hyn, ond dwi'n mynd i orfod ei helpu hi. Mae gennym ni'r Arglwyddi Amser lawer o reolaeth dros ein cyrff. Mae angen i mi uno â'r Erali a dangos iddi sut mae gwneud. Cadwch draw.'

Er rhyfeddod i ti, mae'r Doctor yn troi ac yn plymio wysg ei ben i gynhwysydd yr Erali, gan ddiflannu'n syth o dan arwyneb pinc yr hylif. Mae'r hylif yn dechrau dirgrynu a ffrwtian, ac yna daw fflach enfawr o olau gwyn dwys sy'n dy ddallu di.

Pan fyddi di'n gweld yn iawn eto, does dim sôn am yr Erali, dim ond y Doctor sy'n eistedd yno, â'i goesau wedi'u croesi, yng nghanol y cynhwysydd lle roedd yr Erali'n arfer bod.

Mae'r Doctor yn codi ar ei draed. 'Mae hi wedi mynd 'nôl i'r Gofod Dwfn,' medd ef wrthoch chi'n fodlon.

'A beth am weddill y Sycoracs?' mynna Amy.

'Maen nhw'n barod i fynd. Yn union fel y TARDIS. Pan awn ni 'nôl i'r wyneb, mae'n debyg y gwelwn ni eu bod nhw wedi diflannu hefyd. Os ydyn nhw'n gwybod beth sy'n llesol iddyn nhw, dyna wnân nhw. Dydyn nhw ddim eisiau Cysgod y Cyhoeddiad ar eu holau nhw, nac ydyn?'

Mae'r Doctor yn edrych o gwmpas yr ystafell unwaith eto ac yn ysgwyd ei ben yn drist. 'Mae hi'n amser i ni fynd, dwi'n credu.'

Os wyt ti'n arwain y ffordd, cer i 12.

Os yw Amy'n arwain y ffordd, cer i 55.

Mae'r Doctor yn dweud wrthot ti mai rhyw fath o long ofod yw hi.

'Ond mae hi'n edrych fel meteorit neu rywbeth,' medd Amy.

'Dyna beth yw hi,' cytuna'r Doctor, 'o leiaf dyna beth oedd hi i ddechrau. Ond mae hi wedi cael ei throi'n llong ofod. Fe syrthiodd hi fan hyn, yn union fel ni, a does dim llawer o amser ers hynny, ddwedwn i.'

'Felly pwy sy'n gyrru llong ofod wedi'i ffurfio o'r graig?' rwyt ti'n gofyn.

Mae'r Doctor yn tynnu wyneb. 'Sycoracs,' medd ef yn ddiflas.

'Maen nhw'n swnio'n... gyfeillgar,' dyfala Amy, gyda mwy o obaith na sicrwydd.

'Ddim wir.' Mae'r Doctor yn gwgu. 'Fe roddais i rybudd iddyn nhw. Dweud wrthyn nhw am gadw draw o'r blaned hon am byth.'

'Pryd oedd hynny?' rwyt ti'n gofyn.

'Nadolig neu ddau 'nôl,' medd y Doctor o dan ei wynt, gan synfyfyrio. 'Oes gyfan 'nôl i mi.'

Rwyt ti'n gwgu oherwydd dwyt ti ddim yn deall gair mae'r Doctor yn ei ddweud.

Mae meddwl y Doctor yn mynd ar wib. 'Felly'r TARDIS yn gyntaf, yna llong asteroid y Sycoracs. Sugnwyd ynni'r ddwy long a'r ddwy allan fan hyn yn yr Antarctig. Pam? Beth yw'r cysylltiad?'

'Fe wnaeth beth bynnag sugnodd injans y TARDIS yr un peth i'r graig hedegog 'ma, efallai?' awgryma Amy.

Mae'r Doctor yn nodio. 'Do, do, ond pam mae'r ddwy long wedi glanio fan hyn? Mae e'n ormod o gyd-ddigwyddiad.'

'Efallai fod beth bynnag sydd wrth wraidd y peth yn union o dan ein trwynau ni?' meddet ti.

Chwyrlïa'r Doctor o gwmpas. 'Gwych.' Mae e'n troi o gwmpas i siarad ag Amy, gan bwyntio bys atat ti. 'Gall pobl fod yn wych weithiau, hyd yn oed y rhai ifanc.'

Os yw Amy'n meddwl bod ganddi syniad pam rwyt ti wedi bod yn wych, cer i 50.

Os yw'r Doctor yn dweud wrthot ti pam rwyt ti'n wych, cer i 83.

Llais Amy yw'r un rwyt ti'n ei glywed.

'Hei,' gwaedda hi. Rwyt ti'n cerdded allan i gyntedd bach ac mae Amy yno'n sefyll o'th flaen di. 'I ble'r est ti?' gofynna hi.

Eiliad yn ddiweddarach, mae Amy arall yn ymddangos o'r tu ôl i ti. Mae'r Amy newydd yn cydio yn dy fraich ac yn dy wthio ymlaen, gan hwpo heibio i ti wrth iddi wneud hynny. Rwyt ti'n cwympo ymlaen yn lletchwith, a phan wyt ti'n codi ar dy draed mae'r ddwy Amy'n sefyll ochr yn ochr fel pâr o efeilliaid unfath.

Mae'r ddwy Amy'n pwyntio at ei gilydd ac yn gweiddi, 'Hi sy'n twyllo!' ar yr un pryd.

Rwyt ti'n edrych o'r naill i'r llall ond mae'r ddwy'n edrych yn union yr un fath.

'Mae hyn yn rhyfedd,' meddet ti o dan dy wynt.

Mae un Amy'n camu'n nes. 'Dere, fi yw'r un iawn, mae'n rhaid dy fod ti'n gwybod hynny.'

'Dwi'n credu bod angen y Doctor arnon ni,' rwyt ti'n dweud wrthi.

Yr eiliad honno, er mawr rhyddhad i ti, rwyt ti'n clywed sŵn cyfarwydd o'th flaen di, a hwnnw'n dod yn nes.

'Hei, Amy, ble buest ti?' Y Doctor sydd yno.

Yn sydyn mae'r Amy a arhosodd 'nôl yn neidio ymlaen, gan dy wthio di a'r Amy arall allan o'r ffordd, cyn rhedeg i ffwrdd i'r cyfeiriad lle clywaist ti lais y Doctor.

'Ai ti yw'r Amy go iawn?' rwyt ti'n gofyn, gan helpu'r Amy a gafodd ei gwthio i godi ar ei thraed eto.

'Wrth gwrs mai fi yw hi,' medd hi, 'nawr, dere, cyn ei bod hi'n rhy hwyr...'

Mae hi'n rhedeg ar ôl yr Amy arall ac rwyt ti'n rhedeg ar ei hôl hithau.

Cer i 99.

Rwyt ti'n cael gwell golwg ac yn gweld bod y cynhwysydd fel petai'n llawn hylif pinc trwchus. Rwyt ti'n estyn dy law i weld sut mae e'n teimlo ac, er synod i ti, mae'r hylif yn symud i ffwrdd o'th law di rhag i ti gyffwrdd ag e.

'Mae e'n fyw!' rwyt ti'n ebychu.

Mae'r Doctor yn rhuthro draw i gael golwg. 'O, druan bach,' medd ef wrth weld y creadur hylifol. Mae e'n estyn ei law yn dyner. Y tro hwn, dydy'r hylif ddim yn symud i ffwrdd. Yn lle hynny, mae'n llifo tuag at law'r Doctor ac yna drosti, gan ludio'n agos wrth ei groen. Fel paent yn cael ei amsugno gan dywel papur, mae'r hylif fel petai'n rhedeg i fyny braich y Doctor, dros ei ysgwydd ac yna tuag at ei ben.

'Doctor!' galwa Amy mewn braw.

'Paid â chael ofn,' mynna'r Doctor, 'dwi'n hollol ddiogel.' Mae'r hylif pinc yn rholio dros ei wyneb a'i ben ac yna'n ei orchuddio'n llwyr. Eiliad yn ddiweddarach, mae'r hylif yn cilio, gan adael y Doctor heb unrhyw ôl arno.

'Rhyfeddol,' medd y Doctor. 'Telepathi drwy gysylltiad corfforol.'

'Pa wybodaeth gawsoch chi?' gofynna Amy.

'Wel, dwi'n gwybod i ble'r aeth yr holl ynni,' medd y Doctor wrthoch chi, 'a sut gallwn ni ei gael e 'nôl.'

Cyn y gall e ddweud rhagor, mae'r drws yn agor led y pen ac mae'r Rhyfelwr Sycoracs yn dod i'r golwg, a'i chwip yn ei law'n barod i daro.

Os yw'r Doctor yn ei atal mewn pryd, cer i 35.

Os nad yw'r Doctor yn ei gyrraedd mewn pryd, cer i 67.

Mae'r Doctor yn neidio ar ei draed.

'Y broblem yw na feddylioch chi y gallai llongau gofod fynd heibio eich cwmpas ynni, do fe? Nawr 'te,' medd y Doctor a phwyntio at yr unig Sycoracs, 'ydy eich asteroid fel arfer yn cael ei bweru gan injan Math K Traws-System Pob Cyflymdra?'

'Injan K2 yw hi,' eglura'r Sycoracs.

Mae'r Doctor yn llenwi ei fochau ag aer. 'K2? Wel, mae mynydd i'w ddringo, felly.' Mae e'n edrych o gwmpas yr ystafell. 'Oes syniad gan unrhyw un? Dim ots. Mae'r holl ynni ymhollti gyda chi a llwyth o ynni artron o fy llong i – llawer mwy o ynni nag yr oeddech chi'n ei feddwl.'

A nawr mae e'n pwyntio 'nôl at yr Athro.

'Felly mae'r hwfer ynni enfawr 'ma gyda chi ac rydych chi newydd sugno digon o ynni i bweru'r haul am rai miloedd o flynyddoedd. Y canlyniad – yr ail ffrwydrad mwyaf mewn hanes os na wnawn ni rywbeth nawr yn syth.'

'Dinistrio'r peiriant,' mynna'r Sycoracs.

'Na!' gwaedda'r Doctor. 'Fe fydd hynny'n ein lladd ni i gyd ac yn dileu hanner cysawd yr haul ar yr un pryd.'

'Mae'n rhaid bod rhywbeth y gallwch chi ei wneud?' meddet ti. 'Trueni bod y peiriant 'ma wedi cael ei danio o gwbwl.'

Mae'r Doctor yn cydio yn dy ysgwyddau. 'Dyna'r ateb!' gwaedda, 'ro'n i'n gwybod dy fod ti'n ddeallus.'

'Ydw i?' meddet ti.

Mae'r Doctor yn nodio. 'Mae angen i ni droi amser 'nôl.'

Os yw'r Sycoracs yn ymosod ta beth, cer i 87.

Os yw'r Doctor yn dilyn ei syniad e, cer i 33.

Mae'r creadur yn dechrau mynd yn aneglur ac mae e'n newid. Mewn eiliadau, mae e'n troi o edrych fel arweinydd y Sycoracs i fod yn ffurf ddynol lwyd gydag wyneb cyffredin a llygaid glas dwfn.

'Fe wna i ufuddhau i chi,' medd ef wrth y Doctor, 'ond allwch chi sicrhau na fyddaf i'n cael fy nghadw'n gaeth eto?'

'Dwi'n addo i chi fel Arglwydd Amser o Galiffrei,' medd y Doctor wrtho'n ddifrifol.

Mae'r newidiwr siâp yn nodio. 'Felly, fe anfona i'r ynni ddygais i 'nôl i'r man lle daeth e.' Heb unrhyw ffws na ffwdan, mae'r estron llwyd yn dechrau pefrio o olau melyn sy'n fflachio. Yn araf, mae'r injans Sycoracs y tu ôl iddo'n dangos eu bod nhw'n mynd i danio wrth i'w celloedd ynni gael eu llenwi.

O'r diwedd, daw'r broses i ben ac mae'r estron yn baglu oherwydd ei fod wedi mynd yn wan. Heb rybudd, mae Arweinydd y Sycoracs yn dechrau ymosod. Gan wthio'r Doctor o'r ffordd, mae e'n codi ei chwip ynni, gan ei tharo hi ar stumog y newidiwr siâp.

Mae trydan glas gwyllt yn neidio ac yn tasgu dros gorff yr estron i gyd ond yna, mae e'n mynd am 'nôl ar hyd dolen y chwip ac yn mynd dros Arweinydd y Sycoracs. Mae'r ddau estron yn tasgu wrth i'r ynni ofnadwy redeg dros eu cyrff. Yna, o'r diwedd, mae'r ddau'n cwympo i'r llawr ac yn mynd yn llonydd. Mae'r Doctor yn symud corff difywyd

Arweinydd y Sycoracs, wedyn mae e'n rhuthro draw at y newidiwr siâp, ond mae hi'n rhy hwyr – mae yntau wedi marw hefyd.

Os wyt ti'n mynd at y Doctor, cer i 65.

Os yw Amy'n mynd at y Doctor, cer i 76.

Rwyt ti'n teipio'r llythrennau: "WILLIAMS" ar y sgrin ac mae ychydig o ddata'n dod i'r golwg, ond llythrennau carbwl ydyn nhw.

'Rhyw fath o ffeil wedi'i llygru yw hi,' awgryma Amy.

'Mae hynna wedi bod yn digwydd o hyd yn ddiweddar,' medd Cathleen wrthoch chi.

'Wir,' medd y Doctor, 'mae hynny'n ddiddorol…'

Mae e'n tynnu ei sgriwdreifar sonig ac ar ôl newid y gosodiadau'n ofalus, mae e'n ei fflachio'n sydyn at y cyfrifiadur. Ar y sgrin mae'r llythrennau carbwl yn aildrefnu eu hunain yn iaith ddealladwy.

Mae'r Doctor yn dechrau darllen yn rhyfeddol o gyflym, gan symud o'r naill dudalen i'r llall cyn i ti allu darllen ychydig eiriau. Ar ôl darllen tua ugain tudalen o destun, mae e'n troi o gwmpas yn ei gadair.

'Wel, fe syrthion nhw i gyd i goma,' medd ef wrthoch chi.

'Roedden ni'n gwybod hynny!' ateba Amy.

'Ond y peth diddorol yw, ychydig cyn i hyn i gyd ddigwydd, fe gawson nhw rybudd diogelwch. Fe fu lladrad yn y ganolfan. Ydw i'n gywir?' Mae e'n edrych ar Cathleen, sy'n nodio.

'Roedd e'n rhyfedd iawn,' medd hi, 'fe aeth rhywun â rhywbeth o ystafell y cleifion.'

'Ond nid moddion neu gyffuriau,' medd y Doctor gan ddal ati i adrodd y stori, 'gwaed.'

'Mae samplau gwaed pob aelod o staff yn cael eu cadw rhag ofn y bydd 'na ryw angen meddygol,' eglura Cathleen.

'Felly pam byddai unrhyw un eisiau'r samplau gwaed yna?' gofynna Amy.

Yn sydyn, rwyt ti'n clywed sŵn symud. Pan wyt ti'n troi o gwmpas, rwyt ti'n gweld bod pob claf wedi codi ar ei eistedd. Nawr, mae ias yn rhedeg i lawr dy gefn wrth eu gweld nhw'n symud eu coesau allan o'r gwelyau gyda'i gilydd. Eiliad yn ddiweddarach, maen nhw ar eu traed ac yn llusgo ymlaen, fel sombïaid, tuag atoch chi.

Os wyt ti'n cael dy ddal, cer i 18

Os wyt ti'n gallu cyrraedd y drws, cer i 39.

'Na!' gwaedda'r Doctor ond mae hi'n rhy hwyr. Mae corff y Rhyfelwr Sycoracs, sydd wedi'i oleuo â mellt glas, yn cwympo'n sydyn i'r llawr, ac yn gorwedd yn farw gelain. Mae'r Doctor yn rhuthro draw ato fe cyn ysgwyd ei ben yn drist. 'Roedd e'n gwrthod gwrando,' medd ef wrtho'i hun.

Y tu ôl iddo, mae'r peiriannau'n dal i befrio'n beryglus.

'Doctor?' rwyt ti'n ceisio dal ei sylw.

Mae'r Doctor yn edrych i fyny ac mae e fel petai'n cofio beth oedd yn digwydd. 'O'r gorau, wrth gwrs, mae pethau i'w gwneud.' Mae e'n neidio ar ei draed ac yn dechrau gweithio ar un o'r cyfrifiaduron eto.

'Y drafferth gydag ynni yw ei fod e'n anodd ei storio ac yn anodd ei drosglwyddo,' medd ef wrthoch chi, wrth i'w fysedd symud yn wyllt dros y bysellfwrdd, 'ond mae un peth o'n plaid ni — amser.'

'Ro'n i'n meddwl eich bod chi wedi dweud nad oedd llawer o amser gyda ni?' medd Amy.

Mae'r Doctor yn rhoi gwên sydyn i chi. 'Ynni artron,' medd ef wrthoch chi'n llawn dirgelwch, 'ynni amser o long amser. Os yw e'n cael ei drin gan rywun sydd â'r cymwysterau cywir — fi yw hwnnw, gyda llaw — mae hen ddigon o amser gyda ni.'

Mae'r Doctor yn gwasgu'r botwm "mynediad" ac yn sydyn mae popeth yn mynd yn rhyfedd iawn. Mae'r aer yn teimlo fel petai wedi troi'n jeli anweledig ac mae popeth yn edrych braidd yn aneglur fel petait ti'n edrych ar bethau drwy dawch. Mae pob eiliad, pob munud, fel petai'n symud yn araf. Heblaw am un peth — y Doctor, sy'n cerdded tuag atat ti drwy'r amser araf ar gyflymder arferol. Mae e'n cydio ynot ti ac Amy a'r Athro ac yn eich tynnu chi i gyd ato.

'Mae angen angor arnoch chi,' medd ef, gan siarad yr un ffordd ag arfer.

'B — e — t — h ?' meddet ti ac mae dy lais yn dod allan mor araf fel bod y gair yn teimlo fel petai'n cymryd munud i'w ddweud.

'Rhywun sensitif i amser, fel fi, i'ch angori chi rhag llanw'r amser. Dwi wedi gollwng carreg fawr iawn i'r llyn amser 'ma a dwi ddim eisiau i unrhyw un ohonoch chi gael ei olchi i ffwrdd gan y tonnau bach,' medd y Doctor wrthoch chi.

Ac yna, yr un mor sydyn ag y dechreuodd e, mae'r cyfan ar ben. Mae pethau 'nôl i'r arfer ond nawr mae'r peiriannau i gyd wedi mynd, a chorff y Rhyfelwr Sycoracs hefyd.

'Beth ddigwyddodd?' gofynna'r Athro. 'Ble mae fy offer labordy i?'

'Wedi mynd,' medd y Doctor. 'A dweud y gwir, doedd yr offer erioed yma, na'r estroniaid a'u llong ofod. Mae rhwyg amser wedi'i reoli wedi digwydd yma.' Mae e'n gwenu o glust i glust. 'Fel botwm ailosod ar gêm fideo.'

'Doedd llong y Sycoracs ddim wedi colli pŵer na syrthio?' meddet ti.

'Yn union.'

'Ond beth amdanon ni? Os na chafodd y pŵer ei sugno, pam rydyn ni yma, tybed?' rwyt ti'n dweud.

Mae'r Doctor yn gwenu. 'Rhywbeth o'r enw paradocs amser yw e.'

Mae'r Athro yn rhyfeddu at hyn i gyd. 'Amser,' medd ef wrtho'i hunan o dan ei wynt, ac i ffwrdd ag ef.

Mae'r Doctor yn taro'i dalcen â'i law. 'Howkins, wrth gwrs. Fe ddylwn i fod wedi cofio'r enw. Yn 2025 mae e'n cyhoeddi camau cynta'r ddynolryw tuag at ddamcaniaeth unedig am amser, ar ôl rhoi'r gorau i astudio ffynonellau ynni newydd am ryw reswm anesboniadwy...'

'Mae'n debyg nad yw'r rheswm mor anesboniadwy nawr, yw e?' medd Amy gan wenu.

'Mae'n debyg nad yw e,' cytuna'r Doctor cyn edrych arnat ti. 'A sôn am amser, mae hi'n debyg ei bod hi'n amser mynd â ti adref. Dewch, 'nôl i'r TARDIS...'

Y DIWEDD

Daw sŵn taran fyddarol ac yna mae popeth yn dawel.

Ar ôl eiliad, rwyt ti'n agor dy lygaid ac yn gweld bod yr ystafell wydr wedi torri'n deilchion ac mae'r microfydysawd swigen sebon wedi diflannu.

Mae Amy yn dy helpu i godi ar dy draed. Mae'r Doctor allan yn yr ystafell yn barod, yn gwneud yn siŵr bod aelodau'r criw yn iawn.

'Maen nhw'n rhydd o reolaeth y Sycoracs,' medd ef ar ôl archwilio ambell un o'r cleifion. 'Fe ddylen nhw fod yn iach fel cneuen mewn ychydig funudau.'

Mae'r Doctor yn chwilio am bennaeth y ganolfan ac yn gofyn ychydig o gwestiynau iddi hi.

Ychydig yn ddiweddarach, mae e'n dod 'nôl atat ti ac Amy. Rwyt ti'n sylweddoli ei fod e'n eich arwain chi 'nôl i'r TARDIS.

'Gwell i ni ddiflannu,' medd ef.

'Ond beth ddigwyddodd?' rwyt ti'n gofyn.

Mae Amy'n ceisio dyfalu. 'Fe gafodd y lleidr 'na ddamwain fan hyn mewn llong ofod, yn do? A dyna pryd daeth eich ffrindiau chi o UNIT yn rhan o'r stori...'

Mae'r Doctor yn nodio. 'Fe ddaeth UNIT â darnau'r llong ofod o'r ddamwain i fan hyn, a rhoi arbenigwyr yn y ganolfan 'ma i'w astudio nhw.'

'A'r newidiwr siâp?'

'Dwi'n dyfalu iddi gael ei hanafu yn y ddamwain, fe guddiodd hi tan iddi feddwl am ffordd o fynd oddi ar y blaned,' medd y Doctor wrthot ti. 'Ond wedyn sugnodd y microfydysawd storfa ynni'r TARDIS ac roedd pethau'n edrych yn wahanol yn sydyn.'

Rydych chi'n cyrraedd y TARDIS. Mae'r Doctor yn gwenu wrth ei weld yn goleuo fel arfer ac yn gwneud ei sŵn hymian arferol.

'I mewn â ti,' medd y Doctor, gan agor y drws. 'Gad i ni fynd â ti adref.'

Y DIWEDD

Mae Amy'n mynd at y Doctor ac yn rhoi ei braich am ei ysgwydd i'w gysuro. Mae hi'n amlwg fod yr antur ar ben.

Mae'r Doctor yn treulio'r awr neu ddwy nesaf yn gwneud ambell beth. Mae e'n rhoi pŵer i long y Sycoracs ac, er mawr siom i Yasin, mae e'n dileu cof cyfrifiadur y llong. 'Fe fydd digon o waith gyda chi wrth roi hen beirianwaith i'r injans 'ma,' medd y Doctor wrtho fe, 'alla i mo'i gwneud hi'n rhy hawdd i chi.'

Ar ôl iddyn nhw gael eu rhyddhau o goma'r Sycoracs, mae gweddill y criw yn gwella'n dda o dan ofal Nyrs Cathleen. Y peth cyntaf mae pennaeth y ganolfan yn ei wneud ar ôl darganfod beth sydd wedi bod yn digwydd yw rhoi dyrchafiad iddi hi.

Mae Yasin yn ceisio perswadio'r Doctor i aros i'w helpu gyda'i waith. Mae Amy yn dod draw atat ti ac yn gwneud arwydd arnat i ymuno â hi.

'Doctor,' medd hi, 'fe fydd angen eich offer arnoch chi, os ydych chi'n mynd i helpu, yn bydd?'

'Fy offer i?' Mae'r Doctor yn gwgu.

'Ie, yr offer rydych chi'n eu cadw yn y blwch storio glas,' medd Amy, ac rwyt ti a'r Doctor yn deall beth mae hi'n ei awgrymu.

'O, yr offer yna,' medd y Doctor, 'bydd, gadewch i ni fynd i'w nôl nhw.'

'Dwi'n gwybod ble maen nhw,' meddet ti, gan ymuno yn yr hwyl.

Mae'r tri ohonoch chi'n rhedeg 'nôl i'r man lle gadawoch chi'r TARDIS, gan adael Cathleen a Yasin yn ysgwyd eu pennau.

Mae'r Doctor yn gwenu wrth i'r tri ohonoch chi fynd i mewn i'r TARDIS, 'Amser mynd adref.'

Y DIWEDD

Mae'r Doctor yn arwain y ffordd i lawr y coridor ar y llaw dde. Mae'r llawr ar ychydig o ongl oherwydd nad yw'r llong yn wastad, ond hyd yn oed wedyn rwyt ti'n sylwi cyn hir bod y coridor yn mynd â chi i lawr i grombil y llong. Ar ôl cerdded am rai munudau, dydych chi ddim wedi dod ar draws unrhyw griw o hyd.

'Mae hi fel llong ysbryd,' meddet ti.

'Mae'r llong fwy neu lai wedi'i hawtomeiddio'n llwyr' medd y Doctor wrthot ti. 'Efallai mai dim ond criw o dri neu bedwar o bobl sydd yma.'

Rwyt ti'n gweld dy fod ti'n crynu. 'Mae rhywbeth o'i le rywsut,' meddet ti, 'mae hi'n ddisglair ac yn olau ond eto mae 'na ias yn rhedeg i lawr fy asgwrn cefn.'

'Dwi'n gwybod beth wyt ti'n ei feddwl,' cytuna Amy ac mae hi'n gwasgu dy law'n dyner.

'Efallai fod beth bynnag sugnodd yr ynni o'r TARDIS fan hyn yn rhywle…' rwyt ti'n awgrymu.

Mae'r Doctor yn codi ei ysgwyddau. 'Efallai…'

Mae'r Doctor yn stopio'n sydyn ac rwyt ti ac Amy'n cerdded yn syth i mewn iddo fe.

'Sori,' medd ef yn uchel. Mae e'n camu i un ochr i chi gael gweld pam stopiodd e. Rydych chi wedi cyrraedd drws enfawr trwchus sy'n eich rhwystro chi rhag mynd ymhellach.

Mae 'na banel gwydr yng nghanol y drws, ond mae e'n hollol dywyll ac mae'n amhosibl gweld unrhyw beth drwyddo. Mae bysellbad rhifau wedi'i osod yn y drws.

'Yn aml iawn mae gosodiadau'r ffatri ar y pethau 'ma o hyd,' awgryma'r Doctor. 'Tria 7890.'

Os wyt ti'n gallu mynd ar gyfrifiadur, clicia ar flwch B ar y sgrin a theipio'r cod 7890.

Os nad wyt ti'n gallu mynd ar gyfrifiadur, cer i 20.

Mae'r Doctor yn dal i gydio yn ei sgriwdreifar sonig, ond eiliad yn ddiweddarach, mae 'na fflach rhywbeth yn symud ac mae e'n cael ei daro o'i law gan ryw fath o chwip ynni.

Rwyt ti'n troi ac yn gweld mai cawr o ryfelwr estron sy'n dal y chwip. Mae e'n gwisgo clogyn coch ac mae gwregys amdano sydd fel petai wedi'i addurno ag esgyrn a darnau o wallt. Er ei fod ar ffurf ddynol, mae hi'n amlwg nad person yw e. Mae ei ben y tu chwith allan gyda sgerbwd allanol esgyrnog mawr dros wyneb sydd fel petai'n gyhyrau i gyd. Mae'n dy atgoffa di o luniau o'r corff dynol rwyt ti wedi'u gweld mewn llyfr, lle mae'r croen wedi cael ei dynnu i ti gael gweld sut mae'r gwahanol ddarnau'n gweithio.

'Ro'n i'n meddwl tybed pryd y byddech chi'n ymddangos,' medd y Doctor, gan symud ei fysedd lle cafodd y sgriwdreifar sonig ei gipio. 'Sycoracs yw hwn!' medd ef wedyn. 'Yr un sy'n rheoli ein ffrindiau sydd mewn coma. Yr hen dric o reoli gwaed...'

Mae'r Sycoracs yn agor ei geg, sy'n llawn dannedd hir miniog, ac mae e'n dweud rhywbeth yn ei iaith yddfol gras.

'Mae'n ddrwg 'da fi, fachgen, dwi ddim yn siarad Sycoracs yn dda iawn.'

'Paid ag ymyrryd, ddwedais i,' medd y sombi agosaf yn sydyn.

Mae llygaid y Doctor yn mynd yn fawr. 'O, dyna glyfar.'

'Dwi ddim yma i greu argraff ar eich rhywogaeth israddol chi,' medd yr estron drwy geg y claf. 'Dwi yma i gael fy ngwobr.'

Os yw e'n egluro beth yw ei wobr, cer i 10.

Os yw'r Doctor yn dyfalu beth yw ei wobr, cer i 86.

Mae'r Doctor yn gwasgu dolen y drws ac yn gweld ei fod e'n agor yn hawdd.

'Mae hynny'n rhyfedd, on'd yw e?' meddet ti, gan ddilyn y Doctor i mewn.

'Ddim wir,' medd y Doctor, 'pam dylet ti gloi'r drws pan nad oes neb o gwmpas am filltiroedd?'

Y tu mewn i'r iglw plastig mae 'na ddarn aerglos ac ar ôl mynd drwyddo, rydych chi'n cyrraedd cyntedd sy'n cynnwys top siafft lifft a drysau metel gloyw, yn union fel sydd mewn maes parcio aml-lawr. Mae'r iglw ei hunan wedi'i wneud o ddarnau o blastig sydd wedi'u plygu a'u rhoi wrth ei gilydd â sgriwiau plastig; mae hi'n amlwg mai dim ond lloches i fynedfa'r lifft i'r ganolfan islaw yw e. Y tu hwnt i'r darn aerglos mae'r aer wedi'i gynhesu ac, o weld pegiau hongian dillad, rydych chi'n tynnu eich siwtiau eira ac yn eu hongian nhw.

'O'r gorau, gadewch i ni fynd i weld beth sy 'ma,' medd y Doctor.

Dim ond un botwm sydd ar y panel nesaf at ddrysau'r lifft ac mae e'n dangos saeth sy'n pwyntio ar i lawr.

Mae'r Doctor yn ei wasgu ac mae sŵn chwyrnu'n dechrau wrth i'r lifft ddechrau codi o waelod y siafft. Eiliad yn ddiweddarach, mae caets y lifft yn cyrraedd ac mae drysau metel yn llithro ar agor.

Mae'r Doctor yn arwain y ffordd i mewn i'r lifft. 'Dim ond i lawr gallwn ni fynd,' medd Amy, wrth i'r drysau lithro ar gau eto. Ymhen dim, mae'r lifft yn dechrau mynd i lawr. Mae fel petai'n cymryd amser hir, ond o'r diwedd mae'r lifft yn stopio.

Os yw'r drysau'n agor yn awtomatig, cer i 26.

Os yw'r drysau'n aros ar gau, cer i 42.

Mae'r gwydr yn dywyll. Mae'r Doctor yn ceisio cael gwell golwg ond hyd yn oed ar ôl gwasgu ei wyneb yn erbyn y gwydr, dydy e ddim yn gallu gweld dim byd y tu mewn.

'Ydych chi'n gwybod beth sy mewn 'na?' gofynna ef i Cathleen.

Dim ond codi ei hysgwyddau mae'r nyrs dan hyfforddiant. 'Dim syniad,' cyfaddefa hi, 'heblaw ei fod e'n bwysig dros ben.'

Mae'r Doctor yn tynnu ei sgriwdreifar sonig allan ac yn dechrau ei chwifio yn yr awyr, fel petai'n ceisio ei ddefnyddio i fesur rhywbeth yn yr atmosffer. Mae e'n gwneud sŵn chwibanu tawel sy'n newid traw wrth iddo fynd yn nes at yr ystafell wydr.

'Mae olion ynni artron yna, yn bendant,' medd ef yn uchel.

Rwyt ti'n edrych ar Amy, ond dim ond codi ei hysgwyddau mae hi. 'Ai dyna'r ynni gafodd ei ddwyn o'r TARDIS?' rwyt ti'n dyfalu. Rwyt ti wrth dy fodd o weld y Doctor yn dechrau nodio'n syth. 'Ynni amser, rhywbeth peryglus iawn yn y dwylo anghywir, ac mae hyn yn bendant yn anghywir.'

Mae e'n cerdded o gwmpas yr ystafell wydr, gan chwilio am y drws. O'r diwedd, mae e'n dod o hyd iddo fe yn y pen pellaf.

'Oes allwedd i'r drws 'ma?' gofynna'r Doctor.

Mae Cathleen yn chwerthin. 'Rydych chi'n dal yn yr ugeinfed ganrif, ydych chi? Allweddi? Codau mynediad yw popeth fan hyn.'

'Felly beth yw'r cod?' gofynna Amy, gan weld bod y Doctor yn mynd yn grac.

'Dwi ddim yn siŵr,' medd Cathleen wrthoch chi. 'Ond fe allech chi drio 000,' awgryma hi. 'Mae hi'n anodd i rai o'r gwyddonwyr gofio llawer o wahanol rifau cyfrin ac yn y diwedd, maen nhw'n ailosod popeth i 000.'

Os wyt ti'n gallu mynd ar gyfrifiadur, clicia ar flwch E ar y sgrin a theipio'r cod 000.

Os nad wyt ti'n gallu mynd ar gyfrifiadur, cer i 56.

'Dydy e ddim gen i,' meddet ti wrth y Doctor. Mae e'n aros ac yn syllu arnat ti, gan symud ei wallt o'i lygaid â'i feddwl ymhell.

'Nac ydy, fe roddodd e fe i fi,' medd y ferch bengoch hardd wrtho, gan roi'r sgriwdreifar a roddaist ti iddi eiliad ynghynt. Roedd y ddau ryfedd wedi ymddangos yn dy stryd di a gofyn am sgriwdreifar. Drwy lwc, roeddet ti'n cofio gweld un gartref, ac roeddet ti wedi brysio i'w nôl e. Ar ôl mynd 'nôl at y dieithriaid, roedd y ferch wedi cymryd y sgriwdreifar gan ddiolch i ti'n gyflym. Yna roedd hi wedi rhuthro i ffwrdd gyda'r dyn roedd hi'n ei alw'n "Doctor".

Roeddet ti wedi'u dilyn nhw i lôn lle roeddet ti wedi'u gwylio mewn syndod wrth iddyn nhw ddiflannu i flwch mawr glas oedd â'r geiriau "Blwch Heddlu" arno, beth bynnag oedd ystyr hynny.

Roeddet ti wedi'u dilyn nhw drwy'r drysau a gweld dy fod ti yn yr ystafell amhosibl yma.

Rwyt ti'n gwylio wrth i'r Doctor gymryd y sgriwdreifar a ffidlan â rhywbeth yng nghanol y canol, sydd fel madarchen.

Mae'r ferch bengoch yn camu tuag atat ti ac yn gwenu'n garedig. 'Amy ydw i,' medd hi wrthot ti. 'A dyna'r Doctor. A pheiriant gofod ac amser yw hwn o'r enw TARDIS.'

'Mae e'n gallu mynd i unrhyw le mewn gofod ac amser,' medd y Doctor. 'I'r gorffennol neu'r dyfodol pell.'

'Ac fe fyddi di 'nôl mewn pryd i gael te,' ychwanega Amy, 'os wyt ti'n lwcus!'

Os wyt ti'n gofyn am fynd 'nôl mewn amser, cer i 97.

Os nad wyt ti'n ei chredu hi, cer i 24.

Mae'r blwch deialog ar waelod y sgrin yn dal yn wag wrth i'r Sycoracs feddwl am eiliad neu ddwy.

'Dewch, peidiwch â bod yn swil,' medd y Doctor i'w annog. 'Os eglurwch chi, fe alla i helpu.'

'Dwi eisiau i bobl chwilio am y D**&HO&,' medd yr estron wrthoch chi.

'Dwi'n credu bod y peiriant newydd dorri,' meddet ti.

Mae'r Doctor yn ysgwyd ei ben. 'Dim ond geiriau cyffredin mae'r feddalwedd yn gallu eu cyfieithu, nid enwau priod,' medd ef. 'Beth oedd hwnna eto? Crifftloc?' Rywsut mae'r Doctor yn llwyddo i ynganu enw'r estron â'r un sain yddfol â'r hyn oedd gan y Sycoracs.

Mae'r Sycoracs yn nodio. 'Creadur enbyd yw e.'

Rwyt ti ac Amy'n edrych ar eich gilydd. Pa fath o anghenfil fyddai'n ddigon gwael i godi ofn ar yr estron yma?

'Edrychwch, does dim angen caethweision dynol arnoch chi. Gadewch iddyn nhw fynd yn rhydd ac fe helpa i chi fy hunan. Mae un ohonof i'n werth dwsin o sombis unrhyw bryd,' medd y Doctor. Mae'r Sycoracs yn oedi eto.

'Dwedwch wrtha i am y Crifftloc 'ma,' gofynna'r Doctor iddo.

'Bwystfil yw e, anifail. Mae e'n dwp ac mae e'n beryglus. Mae e'n bwydo ar ynni mae e'n gallu ei storio y tu mewn i'w gorff.'

'O ble daeth e?' rwyt ti'n gofyn.

'Fe ddaethon ni o hyd iddo fe'n cysgu, wedi'i adael gan yr haid roedd e ynddi hi. Fe sylweddolon ni y byddai llawer yn talu'n dda am greadur o'r fath,' medd y Sycoracs, 'felly fe aethon ni ag ef ar ein llong.'

Os yw'r Sycoracs yn parhau i adrodd ei stori, cer i 84.

Os yw rhywbeth yn torri ar ei draws, cer i 41.

'Beth ddwedais i?' rwyt ti'n gofyn.

Mae'r Doctor yn mynd ar ei benliniau ac yn dechrau cloddio â'i ddwylo sydd mewn menig, gan wneud i'r eira dasgu'n gawodydd y tu ôl iddo, fel peiriant cloddio siâp person.

'Fe ddwedaist ti fod yr ateb o dan ein trwynau ni, on'd do fe?' medd ef, 'Ac roeddet ti'n gywir. Mewn gwirionedd mae e'n union o dan ein traed ni.'

Rwyt ti'n syllu i mewn i'r twll mae e wedi'i wneud ac rwyt ti'n gweld rhywbeth nad yw'n wyn ar y gwaelod. Pwysa'r Doctor i mewn i'r twll a bwrw'r arwyneb llwyd tywyll mae e wedi'i ddadorchuddio.

CLANG!

'Metel yw e?' meddet ti gan weiddi.

Mae'r Doctor yn edrych arnat ti ac yn gwenu.

'Mae rhywbeth i lawr 'na, rhyw fath o adeilad,' medd ef wrthot ti, a'i lygaid yn pefrio gan gyffro.

O rywle yn ei wisg arbennig, mae e'n tynnu ei sgriwdreifar sonig allan ac yn sganio'r ardal.

'Beth bynnag yw e,' medd ef, 'mae e'n eithaf mawr.'

'Ai llong ofod arall yw hi, tybed?' meddet ti.

Mae'r Doctor yn codi ar ei draed, gan ddal ati i sganio â'i sgriwdreifar sonig.

'Efallai,' ateba, 'ond mae'n edrych yn fwy tebyg i ryw fath o ganolfan. Canolfan danddaearol yn yr Antarctig. On'd yw e'n gyffrous?'

Mae e'n dechrau symud i ffwrdd, gan sganio â'r sgriwdreifar sonig drwy'r amser. Yn sydyn mae e'n gweiddi, 'A!'

Rwyt ti ac Amy'n rhedeg ato fe. Yn y gwynder, mae'r Doctor wedi dod o hyd i dwmpath bach o rywbeth sy'n edrych fel eira. Rwyt ti'n cyffwrdd ag e ac yn sylweddoli mai rhyw fath o blastig yw e, ac ynddo fe mae drws sydd bron yn anweledig.

Os yw'r drws wedi'i gloi, cer i 48.

Os nad yw'r drws wedi'i gloi, cer i 79.

Mae'r Sycorac yn dal ati i adrodd ei stori, a'i iaith yddfol gras yn cael ei chyfieithu, bron yn syth, i Gymraeg wedi'i theipio gan y ddyfais sydd fel gwelyfr bach.

'Roedden ni'n mynd heibio'r hen blaned ddiflas 'ma pan ddechreuodd y creadur adfywio'n sydyn. Roedd e'n llwgu, fe sugnodd e'r ynni i gyd o'n injans ni gan wneud i ni gwympo fan hyn yn yr iâ yma. Rydych chi'n gwybod gweddill y stori.'

Mae'r Doctor yn nodio, gan ddilyn hyn i gyd. 'A ble rydych chi nawr?'

'Mae'r bwystfil wedi ein dal ni ym mhen pella'r llong asteroid, yn agos i'r neuaddau cysgu,' eglura arweinydd y Sycorac. 'Mae e wedi gwneud i dwneli syrthio ac mae e wedi creu anhrefn. Rydyn ni'n methu symud. Dyna pam roedd angen y bobl arna i – i'n cloddio ni allan.'

'A ble mae'r bwystfil?' gofynna Amy.

'Dwn i ddim,' medd y Sycorac, 'ond mae rhywbeth arall y dylech chi ei wybod. Mae e'n gallu newid ei siâp. Ac er mai bwystfil yw e, mae rhyw fath o ddeallusrwydd gwyllt ganddo fe. Mae e'n gallu dynwared creaduriaid eraill yn berffaith.'

'Sut rydyn ni'n gwybod nad ydyn ni'n siarad ag e nawr?' gofynna Amy.

Mae llygaid coch yr estron yn mynd yn gul gan gynddaredd. 'Dydy'r Sycorac ddim yn dweud celwydd.'

Mae'r Doctor yn gwthio Amy allan o'r ffordd ac yn siarad â'r Sycorac.

'O'r gorau, dyma'r fargen. Fe ddo' i o hyd i'r creadur 'ma, gwrthdroi'r ynni sydd wedi cael ei sugno a thrwsio eich injans chi. A'ch rhan chi o'r fargen: fe fyddwch chi'n gadael y blaned hon a fyddwch chi byth yn dod 'nôl. Iawn?'

Mae'r Sycoracs yn edrych yn anhapus iawn wrth feddwl am daro bargen â rhywogaeth israddol, ond mae e'n cytuno yn y diwedd.

Os oes angen i'r Doctor ddal ati i ddefnyddio'r gwelyfr, cer i 64.

Os yw e'n mynd i mewn i'r ogofâu, cer i 93.

Mae'r Rhyfelwr Sycoracs yn meddwl am eiliad hir ac yna'n nodio.

'Rydyn ni'n i gyd yn dioddef. O'r gorau. Fe weithiwn ni gyda'n gilydd i ddod o hyd i'r rhai sydd wedi ymosod arnon ni. Yna, fe laddwn ni nhw.'

Mae'r Doctor yn ysgwyd ei ben. 'Neu efallai y gallwn ni gael sgwrs fach â nhw. Dydyn ni ddim yn gwybod yn bendant eu bod nhw'n bwriadu ymosod ar ein llongau ni. Efallai mai... damwain oedd hi.'

Mae'r Rhyfelwr Sycoracs yn gwrthod ymateb i awgrym y Doctor. 'Mae sganwyr y Sycoracs yn dweud bod y peth a sugnodd yr ynni yn y ganolfan 'ma. Mae angen i ni ddod o hyd i'r ffynhonnell. Mae Sycoracs yn rocio.'

'Beth yw hwnna? Ai enw ei long ofod yw *Sycoracs yn rocio*?' medd Amy o dan ei gwynt wrth y Doctor, ond ddim yn ddigon tawel i fwclis yr estron beidio â'i chlywed a'i chyfieithu.

'Mae Sycoracs yn rocio,' medd yr estron eto, yn fodlon.

'Mae Sycoracs yn rocio,' rwyt ti'n ychwanegu, gan ymuno yn yr hwyl.

'Mae e'n meddwl eich bod chi'n perthyn i'w glwb cefnogwyr nawr,' medd y Doctor wrthoch chi eich dau.

Mae'r estron yn eich arwain chi 'nôl allan i'r coridor ac i ffwrdd ag ef yn gyflym. Rydych chi bron yn gorfod rhedeg er mwyn cadw i fyny ag ef.

'Beth yw e?' rwyt ti'n sibrwd wrth y Doctor.

'Hil estron o ysglyfaethwyr o'r enw'r Sycoracs,' medd ef wrthot ti. 'Maen nhw wedi datblygu llawer yn wyddonol, ond maen nhw'n hoffi gwisgo'r cyfan ag ychydig o fwdw.'

'Ydyn nhw'n gyfeillgar?' rwyt ti'n sibrwd 'nôl.

Mae'r Doctor yn ysgwyd ei ben yn araf.

Mae'r estron yn cyrraedd drws ac yn ei dynnu ar agor.

Labordy mawr yw'r ystafell y tu draw i'r drws. Mae e'n llawn peiriannau rhyfedd yr olwg.

Os oes dyn yno, cer i 36.

Os yw'r ystafell yn wag, cer i 90.

'Rydych chi eisiau'r peth sy yn yr ystafell 'na,' medd y Doctor. 'Ydw i'n iawn?'

Mae'r Sycoracs yn nodio.

'Ond dydych chi ddim hyd yn oed yn gwybod beth yw e!' sgrechia'r Doctor.

'Fy un i yw e!' mynna'r Sycoracs. 'Fe gafodd ei ddwyn o fy llong fy hunan gan Iarcop, lleidr twyllodrus.'

'Newidwyr siâp,' medd y Doctor. 'Ydw, dwi wedi cwrdd â Iarcopiaid. Ond dydyn nhw ddim cynddrwg â hynny. Ychydig bach yn dwp efallai, ond mae 'na dipyn o dwpdra o gwmpas.'

'Fe aeth yr Iarcop â 'ngwobr i ac i ffwrdd ag e,' medd yr estron wedyn, a'r claf mewn coma'n dal i gyfieithu... 'fe aethon ni ar ei ôl e drwy bum cysawd hyd nes iddo fe lanio fan hyn ar yr hen blaned ddiflas 'ma.'

'Roedd hynny'n dipyn o broblem i chi,' awgryma'r Doctor, 'achos rydych chi wedi cael eich gwahardd rhag rhoi troed ar y Ddaear, on'd ydych chi?'

Mae e'n troi atat ti ac Amy ac yn wincio'n slei. 'Alla i ddim dychmygu sut digwyddodd hynny,' sibryda. Yn dawel, mae e'n plygu ac yn codi ei sgriwdreifar sonig oddi ar y llawr.

'Fe delegludais i i mewn ar fy mhen fy hun,' medd y Rhyfelwr Sycoracs. 'Roedd angen caethweision arna i i gael help i ddod o hyd i'r ddyfais. Nawr fe alla i fynd ag e ac i ffwrdd â ni.'

'Y drafferth yw, dydy pethau ddim mor syml â hynny,' medd y Doctor wrtho, gan gamu'n fras i ganol yr ystafell. 'Nid chi biau hwnna, na'r Iarcop chwaith, nage? YstofWehyddion Alffa Lleugylch Glas wnaeth e. Nhw yw'r unig hil sydd â'r sgiliau i wneud pethau sy'n gallu camdroi realiti rhwng mwy nag un dimensiwn. Un cam gwag gyda hwnna ac fe fyddwn ni i gyd yn perthyn i hanes.'

'Rydych chi'n tynnu 'nghoes i,' ymateba'r SycorACS.

Cer i 14.

Mae'r Rhyfelwr Sycoracs yn rhedeg i ganol yr ystafell ac yn dechrau codi ei chwip. Mae hi'n chwyrlïo yn yr awyr, yn clecian ag ynni a CHWIP! Mae hi'n cysylltu â rhai o'r peiriannau. Mae'r peiriannau yn tywynnu'n felyn ac yn las ac yna'n chwalu'n llwch.

'Na!' sgrechia'r Athro. 'Wyddoch chi ddim beth rydych chi'n ei wneud.'

Mae e'n dechrau rhedeg tuag at yr estron, ond mae Amy'n ei ddal 'nôl ac rwyt ti'n rhuthro draw i'w helpu.

'Peidiwch â cheisio ei atal e,' rwyt ti'n dweud wrth yr Athro, 'neu fe fydd e'n ceisio eich chwipio chi.'

Mae'r Sycoracs wedi symud ymlaen i ymosod ar ragor o'r peiriannau sugno ynni. Mae'r Doctor yn edrych ar yr olygfa o ddinistr llwyr ac mae'r gofid yn amlwg ar ei wyneb. 'Dydy hyn ddim yn dda,' medd ef o dan ei wynt, bron wrtho'i hun.

Fel fflach, mae e'n pwyntio'i sgriwdreifar sonig at y nenfwd ac yn gwneud i'r ysgeintellau dŵr ddechrau gweithio. Mae'r dŵr yn taro'r chwip ac yn ei siortio hi. Mae hi'n sïo'n anobeithiol ac yn bwrw yn erbyn y peiriannau heb gael unrhyw effaith.

Mae'r Sycoracs yn gwylltio, yn rhuo'n gynddeiriog ac yn codi'r cyfrifiadur agosaf. Mae e'n ei daflu i'r sugnwr ynni a daw fflach ddychrynllyd o olau glas.

Rwyt ti'n rhoi dy law dros dy lygaid a phan wyt ti'n gallu edrych eto, rwyt ti'n gweld bod y Sycoracs yn crynu ac yn ysgwyd mewn rhywbeth sy'n edrych fel niwlen o drydan glas sy'n rhedeg dros ei gorff i gyd.

Os yw'r Sycoracs yn cwympo i'r llawr, cer i 74.

Os yw'r Doctor yn ei achub, cer i 38.

Gan gymryd anadl ddofn, rwyt ti'n cerdded draw at y drysau dwbl ac yn camu allan i'r tir anial rhewllyd.

Dydy disgrifiad Amy ddim wedi dy baratoi di ar gyfer yr olygfa ryfeddol sydd o dy flaen. Rwyt ti'n ddiolchgar am y gogls mae'r Doctor wedi'u rhoi i ti oherwydd hyd yn oed drwy'r lensys tywyll, mae'r olygfa'n llachar tu hwnt. Dwyt ti erioed wedi gweld cymaint o eira. Mae e fel anialwch o dywod gwyn. Rwyt ti'n camu allan i'r tir anial, gan wylio dy fŵts yn crensian ac yn gadael olion traed yn yr eira oedd heb ei gyffwrdd o'r blaen.

Rwyt ti'n edrych 'nôl ar y TARDIS ac yn methu peidio â gwenu wrth weld yr olygfa ryfedd: blwch heddlu glas llachar — yr unig beth lliwgar am filltiroedd — yn sefyll yn falch yn yr eira.

Mae Amy a'r Doctor yn dod allan o'r TARDIS ac yn rhannu'r olygfa. Mae'r Doctor yn cau'r drws y tu ôl iddo ac yn rhoi ei law yn dyner arno.

'Paid â phoeni,' rwyt ti'n ei glywed yn sibrwd, 'fe fyddi di'n iawn mewn dim o dro.'

Wrth iddo gamu i ffwrdd o'r drysau, mae'r golau y tu mewn yn pylu'n ddu ac mae'r hymian sydd bob amser yn y cefndir yn y TARDIS yn tawelu.

'Gwylia!' gwaedda Amy'n sydyn. Rwyt ti'n troi ac yn gweld bod Amy wedi gwneud pelen eira. Mae hi'n ei thaflu i'r awyr. Rwyt ti'n symud o'r ffordd ac mae'r belen eira'n hwylio dros dy ben, gan daro'r TARDIS a gwneud i gawod o eira gwympo dros dy ben.

Os ydych chi'n dechrau taflu peli eira at eich gilydd, cer i 53.

Os wyt ti'n gweld rhywbeth anarferol, cer i 92.

Mae'r Sycoracs yn stopio, ond dydy e ddim yn troi 'nôl yn syth.

'Plis, gwrandewch arna i,' medd y Doctor. 'Nid trais yw'r ateb. Mae 'na ddirgelwch, ond gyda'n gilydd fe allwn ni ei ddatrys e.'

Nawr mae'r Sycoracs yn troi o gwmpas, a'i lygaid coch cynddeiriog yn gul, gul, yn llosgi o dan ei dalcen esgyrnog. 'Does dim angen help pobl ar Sycoracs,' medd ef yn bendant ac yna mae e'n troi eto, a'i glogyn coch hir yn llusgo dros haen uchaf yr eira sydd fel powdr.

Rwyt ti'n gwylio wrth i'r estroniaid gerdded i ffwrdd dros yr eira. Mae golwg wedi dychryn arnyn nhw.

Mae'r Doctor yn ysgwyd ei ben yn siomedig.

'Pwy yw'r Sycoracs 'te?' gofynna Amy. 'Roedden nhw mewn drama gan Shakespeare, on'd oedden nhw?'

Mae'r Doctor yn chwerthin. 'Rhywbeth tebyg. Fi sydd ar fai am hynny. Fi awgrymodd yr enw i Will. Ond y rhain oedd biau'r enw gyntaf. Ysglyfaethwyr rhyngalaethog ydyn nhw. Dydyn nhw ddim yn gwneud dim byd eu hunain, dim ond dwyn oddi wrth eraill maen nhw.'

'Fel y Wombles?' medd Amy.

'Ie, ond ddim hanner mor annwyl. Mae'r Sycoracs yn gas, yn dreisgar ac yn dwlu ar ddefodau a fwdw. Ac os oes pobl yn y ganolfan 'na, fe fyddan nhw'n cael eu lladd.'

'Allwch chi ddim gwneud rhywbeth? Galw am help?' meddet ti.

Mae'r Doctor yn troi ar ei sawdl, gan chwifio'i ddwylo i ddangos y tir anial sydd o'ch cwmpas chi. 'Rydyn ni filltiroedd o unman. Na, fe fydd yn rhaid i ni ddatrys hwn ar ein pennau ein hunain.'

'Y tri ohonon ni? Yn erbyn y rheina i gyd?' Dydy Amy ddim yn swnio'n siŵr iawn.

'Fydd y Sycoracs ddim yn broblem os gallwn ni ddatrys y broblem colli ynni,' medd y Doctor wrthot ti.

Os yw Amy'n gweld rhywbeth, cer i 6.

**Os wyt ti'n gweld
rhywbeth, cer i 34.**

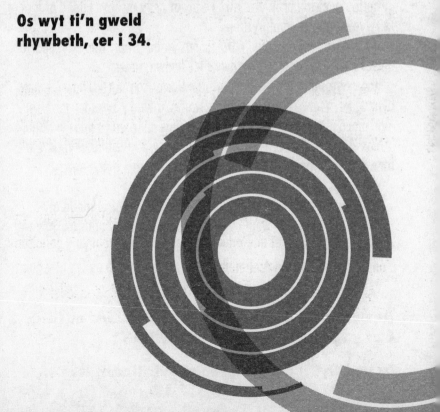

Rwyt ti'n dilyn y Rhyfelwr Sycoracs i mewn i'r ystafell. Mae'r Doctor yn codi mŵg ac yn ffroeni'r cynnwys. 'Coffi,' medd ef wrthoch chi. 'Tua dau ddiwrnod oed.'

'Sut gallwch chi ddweud 'na?' gofynna Amy.

Mae'r Doctor yn pwyntio at ei wyneb. 'Mae trwyn da iawn ar y corff 'ma. A dweud y gwir, dwi bob amser wedi bod yn lwcus gyda thrwynau. Er bod rhai wedi bod braidd yn fawr. Ond dyna ni, dwyt ti ddim yn gallu pigo dy drwyn dy hunan, wyt ti?' Mae e'n chwerthin, ond dydy'r Rhyfelwr Sycoracs ddim yn gwenu. Mae e'n taro'i ddwrn yn galed ar ddesg, gan wneud i bapurau a beiros hedfan.

'Ble mae'r peth sy'n sugno'r ynni?' medd y llais electronig gan gyfieithu ei eiriau bron yn syth. 'Fe alwaf ar fy mrodyr i ddod ataf ac fe rwygwn ni'r lle 'ma'n yfflon.'

'Na, na, arhoswch,' mae'r Doctor yn ymbil arno. 'Rhowch ragor o amser i mi. Peidiwch ag ymddwyn fel Jwdŵn, nawr.'

Mae'r Sycoracs yn chwerthin wrth i'r Doctor sôn am y Jwdŵn – pwy bynnag ydyn nhw. 'Ha! Ffyliaid yw'r Jwdŵn,' medd y Sycoracs gan wenu, 'ond maen nhw'n gwneud pryd blasus ac mae eu croen yn dda i'w wisgo.'

Mae Amy wedi dod o hyd i gyfrifiadur sy'n gweithio. 'Tybed a all hwn ddweud rhywbeth wrthon ni?'

Mae'r Doctor yn brysio draw i gael gweld.

'Mae angen cyfrinair y defnyddiwr i fynd at y data,' medd ef.

Rwyt ti'n gweld gair wedi'i ysgrifennu ar ddarn o bapur uwchben y ddesg: SNOWMAN.

'Beth am hwnna?' rwyt ti'n awgrymu, gan bwyntio dy fys at y gair.

Os wyt ti'n gallu mynd ar gyfrifiadur, clicia ar flwch C ar y sgrin a theipio'r gair SNOWMAN.

Os nad wyt ti'n gallu mynd ar gyfrifiadur, cer i 4.

Amy sydd yno. Mae hi'n dod allan o un o'r nifer o dwneli sy'n cwrdd yn y siambr fach hon.

'Dwi wedi dod o hyd iddo fe,' medd hi wrthot ti ac mae'n hi'n dechrau brysio 'nôl ar hyd y ffordd y daeth hi. 'Dewch!'

Rwyt ti'n dechrau ei dilyn hi, ond mae'r Doctor yn dy ddal di 'nôl.

'Aros,' gorchmynna. Eiliad yn ddiweddarach, daw ffrwydrad bach ac mae to'r twnnel roeddet ti ar fin rhedeg i mewn iddo'n syrthio'n drwm, yn rwbel creigiau a llwch i gyd.

'Nid Amy oedd hi!' rwyt ti'n sylweddoli.

'Ro'n i'n meddwl mai ni oedd yn hela'r creadur,' medd y Doctor, 'ond mae hi'n edrych fel petai'r creadur wedi bod yn ein hela ni.'

'Beth ddylen ni ei wneud?' rwyt ti'n gofyn i'r Doctor.

'Fe awn ni 'nôl,' medd y Doctor wrthot ti. 'Nerth ein traed. Os yw'r Amy ffug yn cyrraedd 'nôl o'n blaenau ni, fe fydd hi'n draed moch arnon ni.'

Mae hi'n eithaf anodd brysio 'nôl ar hyd y ffordd y daethoch chi. O'r cyfeiriad arall, mae'r ffordd yn edrych yn anghyfarwydd eto ac mae'n teimlo fel petai'n cymryd hyd yn oed mwy o amser na'r tro cyntaf.

Ond, o'r diwedd, rydych chi'n cyrraedd y siambr lle mae peiriannau'r Sycoracs.

Mae Amy a Cathleen yno gyda Yasin. Mae'r tri yn sefyll yn erbyn wal ac yn ceisio cadw draw wrth ddwy ffurf sy'n cerdded o gwmpas ei gilydd – dau Arweinydd Sycoracs sy'n edrych yn union yr un fath. Mae chwip ynni yn llaw un ohonyn nhw, heblaw am hynny maen nhw'n edrych yn union fel ei gilydd.

Os yw'r Doctor yn rhedeg rhyngddyn nhw, cer i 58.

Os yw'r Doctor yn oedi, cer i 49.

Mae Amy'n taflu pelen eira arall ac rwyt ti'n cuddio y tu ôl i'r TARDIS i'w hosgoi.

Rwyt ti'n gweld rhywbeth oedd wedi bod o'r golwg y tu ôl i'r llong ofod – gwrthrych mawr tua chan metr i ffwrdd. Mae e'n edrych fel darn o graig ond, yn rhyfedd iawn, does dim pluen o eira arno, felly dydy e ddim edrych yn iawn yma o gwbl.

'Hei, dewch i edrych ar hwn,' rwyt ti'n gweiddi, ac eiliad yn ddiweddarach mae'r Doctor ac Amy'n dod atat ti.

'Waw!' medd Amy, gan synnu wrth weld y graig.

'Gadewch i ni gael gwell golwg,' rwyt ti'n awgrymu.

Rwyt ti'n dechrau rhedeg tuag at y graig, ac wrth i ti fynd yn nes, rwyt ti'n sylweddoli ei bod hi hyd yn oed yn fwy nag y meddyliaist ti i ddechrau. Pan wyt ti'n ei chyrraedd hi, mae ochr y graig yn codi fry uwch dy ben fel clogwyn ar lan y môr. Er mawr syndod i ti, mae'r graig yn teimlo'n gynnes ac rwyt ti'n gallu gweld lle mae hi wedi dechrau toddi'r iâ ar yr wyneb lle mae hi wedi glanio.

'Pam mae'r graig hon yn gynnes, tybed?' meddet ti.

'Oherwydd nad craig yw hi,' medd y Doctor wrthot ti, wrth iddo yntau hefyd archwilio'r graig.

'Wel, mae hi'n edrych fel craig, mae hi'n teimlo fel craig, felly sut nad craig yw hi?' gofynna Amy.

Mae'r Doctor yn edrych o'i gwmpas a golwg nerfus ar ei wyneb.
'Am beth rydych chi'n chwilio, Doctor?' rwyt ti'n holi.
'Am griw,' medd ef. 'Mae'n rhaid bod criw yn rhywle.'
'Beth?'

Os wyt ti'n clywed llais newydd, cer i 17.

Os yw'r Doctor yn egluro beth yw'r graig, cer i 68.

Heb ddweud gair arall, mae'r Doctor yn mynd am y twnnel agosaf. Mae'n rhaid i ti ac Amy redeg i ddal i fyny ag ef.

'Dwi'n gallu defnyddio'r sgriwdreifar sonig i ddilyn yr ynni sy'n gollwng o'r creadur,' medd y Doctor wrthot ti. 'Fe ddylai ein harwain ni'n syth ato fe.'

'Gwych!' medd Amy.

Mae'r twnnel creigiog rydych chi'n cerdded drwyddo'n llyfnach nag y byddet ti wedi'i ddisgwyl.

'Ai twneli naturiol yw'r rhain, tybed?' rwyt ti'n holi.

Mae'r Doctor yn ysgwyd ei ben. 'Mae'r asteroidau'n cael eu tyllu bron yn llwyr i wneud llongau gofod y Sycoracs,' eglura. 'O'r ardal lle maen nhw'n dod ar blaned Trap Tân, mae 'na fwydod sy'n bwyta creigiau ac maen nhw'n eu defnyddio nhw i wneud eu llongau.'

Wrth i chi gerdded yn ddyfnach i'r system o dwneli, mae hi'n mynd yn dywyllach ac yn oerach. Am y tro cyntaf ers i chi lanio, rwyt ti'n gallu credu eich bod chi wir yn yr Antarctig. Mae'r twneli i gyd fel petaen nhw'n gwau ac yn croesi ei gilydd, fel drysfa gymhleth.

'Peidiwch â mynd yn rhy gyflym, Doctor,' medd Amy, gan ddweud beth roeddet ti'n ei feddwl. 'Os collwn ni chi, efallai na ddown ni byth o hyd i'r ffordd allan eto.'

'Peidiwch â phoeni,' mae'r Doctor yn eich sicrhau chi, 'dwi ddim yn mynd i'ch gadael chi.'

Yn sydyn, daw sŵn uchel rhuo anifail o rywle o'ch blaen chi.

Er gwaethaf ei addewid, mae'r Doctor yn dechrau rhedeg. Rwyt ti ac Amy'n dechrau rhedeg hefyd, er nad ydych chi eisiau gwneud hynny, i geisio cadw i fyny ag ef eto.

Cer i 99.

Mae'r Sycoracs yn stopio o flaen y drws. 'Mae'r rheswm pam mae fy llong wedi colli pŵer yma yn Labordy 3. Fe wna' i ddelio â hyn. Mae ein cydweithio ni ar ben,' medd ef wrthoch chi, cyn mynd drwy'r drws. Yna daw fflach o olau wrth i'w chwip ddinistrio rheolydd y drws.

Mae'r Doctor yn rhedeg draw at y drws ac yn ceisio'i agor ond mae e wedi'i selio'n dynn.

'Mae e wedi ein cloi ni i mewn,' cyhoedda ef.

'Rydyn ni'n sownd?' rwyt ti'n gofyn.

Mae'r Doctor yn ysgwyd ei ben. 'Mae hi'n cymryd mwy na drws clo i fy nala i.'

'Sonig?' awgryma Amy.

'Ddim y tro hwn,' medd y Doctor wrthi, gan ruthro o gwmpas yr ystafell yn chwilio am ffordd arall allan. 'Gyda'r math 'ma o ganolfan yng nghanol unman… mae hi'n anodd iawn cael brics a phethau felly.'

Nawr mae e ar ei bedwar yn edrych ar y man lle mae'r waliau a'r llawr yn cwrdd.

'Felly mae'r cyfan yn cael ei wneud yn rhywle arall ac yn cael ei roi at ei gilydd yma, fel cit enfawr,' medd y Doctor wedyn. 'Ac mae pob darn o wal yn gallu cael ei ddefnyddio mewn sawl ffordd; er enghraifft, efallai y bydd 'na ddarn o wal fel hyn sydd heb ei dorri, ac wedyn bydd ffenestri, drysau neu agoriadau wedi'u torri i mewn i rai eraill. Fel y darn hwn.'

Mae e ar ei draed eto ac mae'n tynnu droriau ffeilio draw o'r wal. Y tu ôl iddyn nhw, rwyt ti'n gallu gweld bod panel petryal wedi'i osod yn y wal yr un uchder â'th ben di. Mae clawr dros y panel a sgriwiau'n ei ddal yn sownd.

Os nad yw'r sgriwdreifar sonig yn gallu eu tynnu nhw'n rhydd, cer i 8.

Os yw'r sgriwdreifar sonig yn gallu eu tynnu nhw'n rhydd, cer i 22.

Cathleen, y nyrs dan hyfforddiant, sydd biau'r llais. Mae hi'n baglu allan o un o'r nifer o dwneli sy'n cwrdd fan hyn. Mae hi'n edrych yn welw ac wedi dychryn yn ofnadwy.

'Rydyn ni wedi dod o hyd iddo fe,' mae hi'n llwyddo i ddweud wrthot ti, a'i llais yn crynu gan ofn. 'Y ffordd 'ma, dewch yn glou.'

Mae hi'n troi ar ei sawdl ac yn diflannu 'nôl i'r twnnel mae hi newydd ddod allan ohono. Mae'r Doctor yn symud i'w dilyn hi.

'Doctor, arhoswch!' rwyt ti'n gweiddi. 'Efallai mai'r newidiwr siâp oedd hi!'

Mae'r Doctor yn troi i edrych arnat ti ac yn tynnu wyneb, a'i lygaid yn fawr. Mae e wedi synnu braidd. 'Wel, efallai taw e. Efallai y dylen ni ddal i fyny â hi a gofyn iddi.' Wrth iddo droi er mwyn dal ati i'w dilyn hi, daw fflach sydyn yn y twnnel ac mae rhan o'r to'n syrthio, yn union o flaen y Doctor. Mae cwmwl o lwch yn codi i'r awyr.

Rwyt ti'n helpu'r Doctor i symud 'nôl, i ffwrdd o'r llanast.

'Ti oedd yn iawn, diolch,' medd y Doctor.

'Felly beth wnawn ni nawr, tybed?' rwyt ti'n holi.

'Mae'n rhaid i ni fynd 'nôl at y lleill,' medd y Doctor.

Wrth gyrraedd siambr yr injan eto, rydych chi'n gweld Amy, Cathleen a Yasin yn syth. Maen nhw'n sefyll wrth y wal bellaf, yn ceisio cadw allan o ffordd dwy ffurf fawr sy'n cerdded o gwmpas ei gilydd yn araf yng nghanol yr ystafell; dau Arweinydd Sycorace sydd bron yn union yr un fath â'i gilydd.

Os yw'r Doctor yn rhedeg rhyngddyn nhw, cer i 58.

Os yw'r Doctor yn oedi, cer i 49.

Mae'r Sycoracs yn anwybyddu'r Doctor ac yn dal ati i gerdded i ffwrdd dros yr iâ. Mae eu clogynnau hir yn brwsio haen uchaf yr eira sydd fel powdr y tu ôl iddyn nhw, fel ysgubau. Wrth i'r awel ysgafn godi plu eira drwy'r amser, cyn hir mae hi'n anodd gweld olion traed yr estroniaid yn yr eira. Mewn dim o dro, mae'r ffurfiau coch yn troi'n smotiau bach ar y gorwel ac yna maen nhw wedi diflannu.

Mae'r Doctor yn eu gwylio nhw'n mynd, gan synfyfyrio.

'Pwy ydyn nhw 'te?' rwyt ti'n holi yn y diwedd. Rwyt ti'n methu peidio â gofyn.

'Criw eithaf cas o ysglyfaethwyr rhyngalaethog. Dydyn nhw ddim yn gwneud dim byd eu hunain, cymryd pethau mae pobl eraill yn eu gwneud maen nhw. Dydyn nhw ddim hyd yn oed yn gwneud llongau gofod; maen nhw'n dod o hyd i asteroidau addas, eu tyllu nhw ac yn rhoi injans llongau gofod mawr hyll yn sownd wrthyn nhw.'

'Felly maen nhw'n ailgylchu, mae hynny'n dda, on'd yw e?' rwyt ti'n dweud.

Mae'r Doctor yn ysgwyd ei ben. 'Nid y ffordd mae'r Sycoracs yn ei wneud e. Hen griw treisgar ydyn nhw. Maen nhw'n hoffi gorfodi, bygwth, blacmelio, ac maen nhw'n cymysgu eu gwyddoniaeth â llawer o rwdl-mi-ri, defodau fwdw a gwaed. Nid y math o estroniaid dwi'n eu hoffi o gwbl!'

'Felly beth wnawn nhw pan gyrhaeddan nhw'r ganolfan ymchwil?'

Mae'r Doctor yn edrych yn ddifrifol. 'Dim byd da. Dim ond un ffordd sydd o'u hatal nhw. Mae'n rhaid i ni ddarganfod beth sugnodd yr ynni a dod o hyd i ffordd o'i wyrdroi e,' cyhoedda'r Doctor. 'Os gallwn ni roi ynni yn eu llong ofod nhw eto, fe fydd y Sycoracs yn gallu gadael.'

Os yw Amy'n gweld rhywbeth, cer i 6.

Os wyt ti'n gweld rhywbeth, cer i 34.

'Rydych chi wir yn gallu teithio mewn amser? Allwch chi fynd â fi i'r gorffennol?' Rwyt ti'n sylweddoli dy fod ti'n siarad fel pwll y môr achos dy fod ti mor gyffrous. Felly rwyt ti'n gorfodi dy hunan i stopio siarad fel bod y Doctor yn gallu dy ateb di.

'Gad i mi ddyfalu, rwyt ti eisiau gweld dinosoriaid?' Mae e'n troi i edrych ar Amy. 'Maen nhw eisiau gweld dinosoriaid o hyd. Dwi'n beio *Jurassic Park*.'

'Dwi ddim yn hidio llawer am ddinosoriaid,' rwyt ti'n dweud, gan boeni nawr y bydd y Doctor yn gwrthod. 'Dwi'n hoffi hanes, dyna i gyd. Mae gen i ddiddordeb yn y ffordd roedd pobl yn arfer byw, y math 'na o beth.'

Mae wyneb y Doctor yn goleuo. 'Diddordeb mewn pobl? A finnau hefyd.' Mae e'n rhoi'r sgriwdreifar 'nôl i ti, ac rwyt ti'n ei roi yn dy boced. Mae e'n gweld yr olwg ar dy wyneb ac yn rhoi esboniad.

'Mae rhai o'r pethau ar y consol 'ma sydd, wel, ddim yn dilyn y fanyleb ddylunio wreiddiol yn union, ac felly does gan fy sgriwdreifar sonig ddim gosodiad iddyn nhw,' eglura'r Doctor.

'Sgriwdreifar sonig?' Rwyt ti'n meddwl tybed beth ar y ddaear mae e'n ei feddwl.

Mae'r Doctor yn tynnu teclyn tenau â blaen gwyrdd iddo allan o boced ei siaced. 'Dyma'r sgriwdreifar sonig,' medd ef wrthot ti.

'Mae e ychydig bach fel Cyllell Byddin y Swistir gyda mwy o dechnoleg,' medd Amy, gan roi gwybodaeth fwy defnyddiol i ti.

Mae'r Doctor yn edrych arni'n sydyn ac yna'n mynd yn ei flaen, gan anwybyddu'r hyn ddywedodd hi.

'Beth bynnag, diolch i ti, dwi wedi gallu ailgalibradu cylchedau'r drifftiau amser ac mae pob system yn barod i fynd eto, yn barod i hedfan.'

'Mae'r blwch 'ma'n hedfan?' meddet ti.

'Ymysg pethau eraill,' ateba'r Doctor a gwenu o glust i glust. 'Wyt ti ffansi mynd am wibdaith fach 'te?'

Os wyt ti'n dweud dy fod ti, cer i 9.

Os wyt ti'n oedi, cer i 40.

Rwyt ti a'r Doctor yn cymryd y twnnel i'r chwith a chyn hir, rydych chi'n gweld eich bod chi'n mynd yn ddwfn i graidd llong y Sycoracs.

'Dydy'r twneli hyn ddim yn naturiol, ti'n gwybod,' medd y Doctor wrthot ti, wrth i chi gerdded yn ddyfnach o hyd i'r tywyllwch. 'Fe dyllodd y Sycoracs y twneli hyn i gyd â llaw, gan greu nyth o ogofâu ffug wedi'u cysylltu â llwybrau. Maen nhw hyd yn oed yn mynd i fyny i'r wyneb ac yn defnyddio meysydd grym i gynnal gwasgedd atmosfferig.

'Pam maen nhw'n gwneud tyllau sy'n mynd i'r wyneb?' rwyt ti'n holi.

'Maen nhw'n hoff iawn o bethau fel yr heulwen a golau'r sêr, maen nhw'n apelio at eu teimladau cyfriniol nhw,' esbonia'r Doctor. 'Felly dyma rai o'r llongau gofod mwyaf hynod weli di byth.'

Mae'r Doctor yn edrych ar ei sgriwdreifar sonig eto. 'Mae'r signal ynni'n mynd oddi ar y raddfa,' medd ef wrthot ti. 'Ac rydyn ni'n agos iawn nawr…'

Eiliad neu ddwy'n ddiweddarach, rydych chi'n baglu allan o'r twnnel cul rydych chi ynddo ac yn gweld eich bod chi mewn siambr fawr arall. Wrth edrych i fyny rwyt ti'n gallu gweld llawer iawn o gilfachau a llwybrau cul yn eu cysylltu nhw.

'Cyfleuster cryogenig y Sycoracs,' cyhoedda'r Doctor. 'Efallai eu bod nhw'n edrych fel hen feddau, ond dyna'r celloedd marwgwsg cryogenig diweddaraf. Mae'r graig yn wych am ddargludo'r tymheredd isel ofnadwy sydd ei angen i rewi creadur byw.'

Rwyt ti'n sylweddoli ei bod hi'n oer iawn yma, yn debyg i'r oerfel pan wyt ti'n cerdded heibio i'r adran bwydydd wedi'u rhewi yn yr archfarchnad, ond yn waeth o lawer.

'Hei!' gwaedda rhywun.

Os Amy yw hi, cer i 91.

Os Nyrs Cathleen yw hi, cer i 95.

Rwyt ti ac Amy'n brysio o gwmpas y gornel nesaf ac yn gweld eich bod chi'n wynebu dau Ddoctor sy'n union yr un fath.

'Dwi'n credu ein bod ni wedi dod o hyd iddo fe,' medd y Doctor cyntaf, sy'n sefyll nesaf atat ti.

'Mae e'n newidiwr siâp a dynwaredwr da iawn,' medd yr ail Ddoctor, sy'n sefyll nesaf at Amy.

Rwyt ti ac Amy'n edrych ar eich gilydd. Pa un o'r rhain yw'r Doctor go iawn?

'I ba flwyddyn yn y gorffennol aethoch chi â fi gyntaf?' gofynna Amy, fel prawf.

Mae'r Doctor sy'n sefyll nesaf at Amy yn ysgwyd ei ben yn drist. 'Does dim pwynt gofyn cwestiynau prawf fel'na — mae'r creadur yn gallu darllen fy meddwl,' medd ef wrth Amy.

'Edrychwch, does dim amser i hyn,' mynna dy Ddoctor "di", 'mae'n rhaid i ni gael yr ynni 'nôl i'r llongau.'

'Heb yr ynni 'na fe fydda i'n wan,' medd yr ail Ddoctor wrthoch chi, gan ddangos mai fe yw'r un ffug. 'Fe fydd y Sycoracs yn fy nghaethiwo i.'

Mae'r Doctor yn estyn allan at yr un arall. 'Mae'n rhaid i chi ymddiried ynof i,' ymbilia. 'Rydych chi'n gallu darllen fy meddwl i. Felly ewch ati i'w ddarllen e. Cewch chi weld pa fath o ddyn ydw i.'

Mae'r Doctor ffug yn oedi, gan edrych i lygaid y Doctor go iawn.

'Dwi'n addo na chaiff y Sycoracs eich niweidio chi,' medd y Doctor.

Mae'r ail Ddoctor yn nodio ac yn taflu ei freichiau ar led. Daw fflach o olau gwyn dwys, yna mae llif o lwch aur fel petai'n saethu o'i fysedd.

Yna, mae'r golau'n pylu a dydy'r Doctor ffug ddim yno mwyach. Yn ei le mae creadur llwyd heb flew sy'n edrych yn eithaf tebyg i eliffant bach. Mae e'n wan ac yn syrthio i'r llawr, yn anymwybodol.

Yn sydyn, daw sŵn rhuo enfawr o'r tu ôl i chi ac mae arweinydd y Sycoracs yn ymddangos, gan chwifio dau gleddyf miniog. Mae e'n rhedeg at y creadur diymadferth gan fwriadu gwneud niwed iddo fe, ond rwyt ti'n rhoi dy droed allan ac mae'r estron yn baglu.

Mae e'n codi ar ei draed, ac yn nôl un o'r cleddyfau, ond mae'r Doctor wedi codi'r llall.

Mae'r ddau yn ymladd yn wyllt â'u cleddyfau. Ar y dechrau, mae'r Doctor fel petai'n dal ei dir ond mae'r estron esgyrnog yn gryf ac yn gyflym. Cyn hir, mae e'n dechrau ymladd 'nôl, gan wthio'r Doctor i gilfach greigiog heb obaith iddo ddianc.

Gan symud ei fraich dde am y tro olaf, mae'r Sycoracs yn taro arf y Doctor, nes bod y cleddyf yn hedfan drwy'r awyr. 'Doctor!' sgrechia Amy.

Mae'r Doctor yn ddiymadferth, ond yna symuda'r creadur ynni a chodi un o'i bawennau mawr yn araf. Mae smotyn bach oren o ynni'n disgleirio o gwmpas y bawen ac mae'r creadur yn ei danio at y Sycoracs sy'n cael ei droi'n llwch. Yna, mae'r creadur yn syrthio 'nôl.

Rwyt ti ac Amy'n rhuthro i helpu'r Doctor, ond mae mwy o ddiddordeb ganddo fe mewn gweld sut mae'r creadur ynni. Mae e'n ysgwyd ei ben yn drist — mae'r creadur wedi marw.

Os wyt ti'n mynd at y Doctor, cer i 65.

Os yw Amy'n mynd at y Doctor, cer i 76.

DOCTOR DW WHO

Hefyd Ar Gael: